ver!ssimo

Copyright © 2012 by Luis Fernando Verissimo

Grafia atualizada segundo o Acordo Ortográfico da Língua Portuguesa de 1990, que entrou em vigor no Brasil em 2009.

Capa
Crama Design Estratégico

Foto do autor
Bruno Veiga

Revisão
Joana Milli
Raquel Correa
Suelen Lopes

CIP-Brasil. Catalogação na fonte
Sindicato Nacional dos Editores de Livros, RJ

V619d
    Verissimo, Luis Fernando
    Diálogos impossíveis / Luis Fernando Verissimo. – 1ª ed. –
Rio de Janeiro: Objetiva, 2012.
    176p.

    ISBN 978-85-390-0413-3

    1. Humorismo brasileiro. I. Título.

12-5512.   CDD: 869.97
                              CDU: 821.134.3(81)-7

10ª reimpressão

[2020]
Todos os direitos desta edição reservados à
EDITORA SCHWARCZ S.A.
Praça Floriano, 19, sala 3001 — Cinelândia
20031-050 — Rio de Janeiro — RJ
Telefone: (21) 3993-7510
www.companhiadasletras.com.br
www.blogdacompanhia.com.br
facebook.com/editoraobjetiva
instagram.com/editora_objetiva
twitter.com/edobjetiva

LUIS FERNANDO
ver!ssimo
Diálogos Impossíveis

OBJETIVA

Sumário

A diferença, 9

O conselheiro, 13

O enganado, 15

Paula, 19

Revelações, 23

Padre Alfredo, 25

Os pêssegos, 29

Robespierre e seu executor, 33

O maior mico do mundo, 37

Os bolsos do morto, 41

Dia das Mães, 45

Natal branco, 49

Abraão e Isaque, 53

Reféns da palavra, 57

Duas cidades, 59

A tia que caiu no Sena, 61

A Juliette, 65

Exilados, 69

RSVP, 73

Entrevista, 77

Albert Speer fala com as flores, 79

A tradutora belga, 83

RSVP 2, 87

Poetas, 91

A lógica, 95

O triunfo, 97
Don Juan e a Morte, 101
Antigas namoradas, 105
Perdedor, vencedor, 109
Tea, 111
O natural, 115
A tática da bolsa, 119
A ponta do queixo, 123
Teatrinho, 127
Bebel, 131
Geoffrey, 135
Sonhos, 139
Picasso e Goya sob o sol, 143
Tem cada um..., 147
A sopa, 151
Estátuas, 155
O tapa-olho, 159
Pacóvio, 163
Finais, 167
Albert e Mileva, 171

A diferença

Uma vez imaginei o encontro de Batman e Drácula numa clínica geriátrica, na Suíça.

Batman não acredita que Drácula tenha mais de 500 anos. Não lhe daria mais de 200.

— Tempo demais — diz Drácula. — Estou na terceira idade do Homem. Depois da mocidade e da maturidade, a indignidade...

O cúmulo da indignidade, para o conde, é a dentadura falsa. Ele não pode ver sua própria dentadura sobre a mesinha de cabeceira sem meditar sobre a crueldade do tempo. Já tentou o suicídio, sem sucesso. Estirou-se numa praia do Caribe ao meio-dia, para que o Sol o reduzisse a nada. Só conseguiu uma boa queimadura. Dedicou-se a uma dieta exclusiva de alho. Só conseguiu que as mulheres o expulsassem da cama. A estaca no coração também não funcionara. Precisava ser de um determinado tipo de madeira benta, usada numa determinada fase da Lua, a logística do empreendimento o derrotara. E ninguém se dispõe a matá-lo, agora que seus caninos são postiços e ele não é mais uma ameaça. Drácula está condenado à vida eterna, à velhice sem redenção e à indignidade sem-fim. Internou-se na clínica com a vaga esperança de que a Morte, que vem ali buscar tanta gente, um dia o leve por distração.

— E você, Batman?

Batman conta que está na clínica para retardar a Morte. Não confessa sua idade, mas recusa-se a tirar a máscara para que não vejam suas rugas. Ele não é um super-herói com superpoderes, inclusive o de não morrer, como o Super-homem.

— Eu sou dos que morrem — diz Batman, com um suspiro.

No tom da sua voz está a lamúria milenar da espécie dos que morrem. Drácula parece não ouvi-lo. Está interessado em outra coisa.

— Você vai terminar esse iogurte? — pergunta.

Mas Batman continua sua queixa.

— Eu já não voava. Hoje quase não caminho. Não posso mais dirigir o Batmóvel, não renovaram minha carteira...

Mas ele não quer a redenção da morte. Quer a vida eterna, a mesma vida eterna de um homem de aço.

— Vamos fazer um trato — sugere Drácula. — Quando a Morte vier buscá-lo, trocaremos de lugar. Você veste este meu robe de cetim e a echarpe de seda, eu visto essa sua fantasia ridícula, e a...

Mas Batman o interrompe com um gesto. A Morte não pode ser enganada.

— Claro que pode — diz Drácula. — É só você passar um pouco da minha pomada no seu cabelo que a Morte o tomará por mim e...

— Que cabelo? — pergunta Batman, com outro suspiro, também antigo.

— Não somos muito diferentes — diz Drácula.

— Somos completamente diferentes! — rebate Batman. — Eu sou o Bem, você é o Mal. Eu salvava as pessoas, você chupava o seu sangue e as transformava em vampiros como você. Somos opostos.

— E no entanto — volta Drácula com um sorriso, mostrando os caninos de fantasia — somos, os dois, homens-morcegos...

Batman come o resto do seu iogurte sob o olhar cobiçoso do conde.

— A diferença é que eu escolhi o morcego como modelo. Foi uma decisão artística, estética, autônoma.

— E estranha — diz Drácula. — Por que morcego? Eu tenho a desculpa de que não foi uma escolha, foi uma danação genética. Mas você? Por que o morcego e não, por exemplo, o cordeiro, símbolo do Bem? Talvez o que motivasse você fosse uma compulsão igual à minha, disfarçada. Durante todo o tempo em que combatia o Mal e fazia o Bem, seu desejo secreto era de chupar pescoços. Sua sede não era de justiça, era de sangue. Desconfie dos paladinos, eles também querem sangue.

— Se eu ainda pudesse fazer um punho você ia ver qual é a minha compulsão neste momento — rosna Batman.

Mas Drácula não perde a calma.

— E veja a ironia, Batman. O Morcego Bom passa, o Morcego Mau fica. Um não quer morrer e morre, o outro quer morrer e não morre. Ou talvez não seja uma ironia, seja uma metáfora para o mundo. O Bem acaba sem recompensa e o único castigo do Mal é nunca acabar.

Drácula continua:

— Somos dois aristocratas, Batman, um feudal e outro urbano, um da Velha Europa e outro da Nova América. Eu era Vlad, o Impalador, na Transilvânia, você, o herdeiro de uma imensa fortuna em Gotham. Eu era o terror dos aldeães, você um rico caridoso. Os pobres nunca ameaçaram invadir a sua mansão com archotes, mas somos, os dois, da mesma classe, a dos sanguessugas. O que nos diferencia é que eu não tinha remorsos.

Batman pede que Drácula se retire. Dali a pouco chegará Robin com os netos e ele não quer que as crianças se assustem.

O conselheiro

João riu muito quando a Heleninha contou que tinha um ursinho de estimação, sem o qual não saberia viver, e que ele se chamava Tedi.

— Vá se acostumando — disse a futura sogra ao João, dias antes do casamento, depois de a Heleninha revelar que levaria o Tedi na lua de mel. — Ela não larga esse ursinho. Desde menininha.

E a Heleninha levou o ursinho de estimação na lua de mel. E colocou o ursinho na cama do casal, depois que voltaram da lua de mel e se instalaram no apartamento novo. E João não se cansava de olhar a nova mulher dormindo abraçada ao seu ursinho. Bonito aquilo. Heleninha, no fundo, ainda era uma criança. O ursinho era a segurança de Heleninha. Era o seu apego à infância e às suas doces ingenuidades. E seu confidente. E seu conselheiro.

— Ah é? — sorriu João. — Você conta todos os seus segredos para o Tedi?

— Conto.

— E ele lhe dá conselhos?

— Dá.

— Um dia vou ter que ter uma conversa com esse ursinho...

— Ele não fala com qualquer um — disse Heleninha. Séria.

João deu uma boa risada. Mas Heleninha continuou séria. Estava sentida. O marido estava fazendo pouco dela. Estava tratando-a como a uma criança. No dia seguinte, Heleninha pediu para João ir dormir na sala.

— Por quê?

— O Tedi acha que será melhor para o nosso casamento.

A sogra recomendou ao João que tivesse paciência. Na verdade, durante toda a infância e a adolescência de Heleninha os conselhos que ela atribuía ao Tedi tinham se revelado muito sensatos. A própria escolha do João como marido fora do Tedi, segundo Heleninha. João entendia do mercado de capitais. Ficaria rico, comprando e vendendo na hora certa. Daria uma boa vida a Heleninha, na opinião do Tedi. Estava passando por dificuldades, no momento, mas quem não estava, no seu ramo? Era só recomeçar a fazer as escolhas certas e voltaria a ter sucesso no mercado de capitais. Segundo o Tedi.

João resistiu à conclusão de que toda a família era louca e decidiu que o jeito era conquistar a boa vontade do Tedi. Mas como? Nem todo o amor que sentia por Heleninha o faria puxar conversa com um ursinho de estimação. Que, além de tudo, não falava com qualquer um. O que fazer? Resolveu pedir a Heleninha que lhe transmitisse as instruções do Tedi sobre quando e o que comprar e quando e o que vender. E, seguindo os conselhos do Tedi, João voltou a ganhar dinheiro.

João não comenta com ninguém do ramo o segredo do seu sucesso. Nem acredita que são os conselhos do Tedi os responsáveis pela sua recuperação. É tudo coincidência, claro. Mas o mercado está de um jeito, raciocina, que se deve aceitar ajuda de onde vier. E pelo menos o Tedi o deixou voltar para a cama da Heleninha.

O enganado

Alguma coisa ia lhe acontecer. Trinta e sete anos, saúde perfeita, ganhando dinheiro como nunca — alguma coisa estava errada. O mundo todo em crise e ele ali, sem um problema. Ou com um problema só: a ausência de problemas.

Alguma estavam lhe preparando. Ia ter um enfarte fulminante. Perder o emprego. Perder uma perna. Estava tudo bem demais. Ele era o único homem da sua idade com os quatro avós ainda vivos! Aquilo não era natural. Alguma estavam lhe preparando. E não demoraria.

Alguém sentou ao seu lado no bar e disse:

— Você não me conhece.

Era um homem bonito, mais moço do que ele. O homem estendeu a mão e se apresentou.

— Eu sou o Carlos.

— Muito prazer...

— Sua mulher deve ter lhe falado a meu respeito.

— Não, não falou.

O homem fez uma cara de desapontamento. Disse:

— Ela me prometeu que lhe contaria tudo. Assim fica mais difícil...

Ele sentiu, com alívio, que sua tragédia chegava. Então era isso. Sua mulher o enganava. Era melhor do que um enfarte.

— Quem sabe você mesmo me conta tudo, Carlos?

— Bom, não há muito para contar. Nos conhecemos...

— Onde?

Estava tomado por uma espécie de volúpia de sofrimento. Queria saber tudo. Queria ser arrasado pelos detalhes.

— Num shopping.

Ele gemeu baixinho. Perfeito. Nas suas intermináveis tardes fazendo compras enquanto ele trabalhava, ela também namorava. Carlos continuou:

— Aconteceu. Não pudemos evitar. Ela me ajudou a escolher uma gravata, começamos a conversar e... Aconteceu.

— Há quanto tempo vem acontecendo?

— Três meses.

— Motéis?

— Às vezes. E no meu apartamento, quando mamãe não está.

Ele tentou visualizar sua mulher num motel com aquele homem. A mãe dos seus filhos numa cama redonda e refletida no espelho do teto, com outro. O banho de óleos. Teria banho de óleos? As tardes de loucura e prazer. Era demais. Ele não aguentava! Pediu mais detalhes.

— A iniciativa foi dela?

— Não, minha. Ela resistiu bastante.

— Não tente me consolar — suplicou ele.

— Decidimos que você precisava saber. Ela lhe respeita demais. Aceita o divórcio, a separação dos filhos...

Sim, sim. Os filhos. Teria que ser pai e mãe para eles. Apoiá-los para que vencessem o trauma da separação. Sua vida seria um inferno dali para diante. Não se suicidaria para poupar as crianças e sempre protegeria o nome da mulher na frente deles. Mas por dentro estaria destruído.

— A Cláudia ia lhe falar sobre nós ontem, mas acho que não teve coragem. Ela me contou que você vinha sempre a este bar por esta hora e...

— Que Cláudia?

— Como, que Cláudia? A sua mulher.

A mulher dele se chamava Sônia.

— Que foi? — perguntou Carlos.

— Nada, nada.

— Escute, Raul. Você deve reagir. Não é o fim do mundo. Eu sinto muito, mas divórcios acontecem a toda hora. Vá para casa, converse com a Cláudia...

— Olhe aqui. Eu não preciso dos seus conselhos, entendeu? Você já fez a sua parte, destruindo o meu lar, destruindo a minha vida. Agora é comigo. Dê o fora antes que eu...

Carlos deu o fora. Ele chamou o barman e pediu outro uísque. Duplo. Era a primeira vez que repetia o uísque desde que começara a frequentar o bar. O barman estranhou:

— Problema, seu Mário?

Ele não se conteve. Quase soluçando, com os olhos cheios de lágrimas, respondeu:

— Acabei de saber uma coisa terrível. Finalmente!

Paula

Depois de casarem o último dos seus cinco filhos, Paula contou para o marido que o encontro deles não tinha sido casual, como ele pensava.

— Que encontro?

— O nosso. Há cinquenta anos.

— Eu sempre desconfiei que você tinha planejado tudo, para me fisgar — disse o Osmar, rindo.

Mas Paula estava séria.

— Não planejei nada. Planejaram por mim.

— Quem?

— Eu tinha ordens para me infiltrar na sua vida. Casar com você, se fosse preciso. Acompanhar você em tudo, me informar sobre todas as suas atividades e passar a informação para eles.

— Eles quem?

— Meu casamento com você não foi um casamento, Osmar. Foi uma missão.

Osmar começou a rir de novo. Parou quando viu que Paula continuava séria.

— Mas Paula, você sempre foi uma esposa perfeita. Perfeita!

— E você nunca desconfiou disso? Uma mulher que fazia todas as suas vontades? Que nunca contrariou você em nada? Uma mulher perfeita? Eu estava apenas protegendo meu disfarce.

— Mas... E os nossos cinco filhos?!

— Sempre que eu desconfiava que você estava perdendo o interesse em mim e no nosso casamento, engravidava. Para não comprometer a missão.

— Você também foi uma mãe perfeita!

— Sou uma boa profissional.

— Como você mandava a tal informação?

— A princípio, fazia relatórios escritos e deixava em locais predeterminados. Depois comecei a registrar tudo eletronicamente neste aparelhinho que eles me deram.

— Quer dizer que você nunca foi surda desse ouvido?

— Sempre ouvi perfeitamente dos dois. Gravava tudo, depois colocava a fita no local que tinha combinado com eles.

— Mas "eles" quem?!

— Pois é.

— Como "pois é"?

— Eu não lembro mais quem eram eles. Na última vez que levei uma fita para o tal lugar secreto, a fita anterior não tinha sido recolhida. A tal missão deve ter sido desativada e não me avisaram.

— Você não se lembra para quem trabalhava?

— Não.

— E o que eles queriam saber a meu respeito?

— Também não me lembro.

— Paula, Paula...

— Bom, pelo menos educamos os nossos filhos. Estão todos casados e bem encaminhados na vida...
— Missão cumprida.
— Missão cumprida.
— Boa noite, Paula.
— Juraci.
— O quê?
— "Paula" era codinome.

Revelações

A posteridade não é mais um lugar seguro. Com a nova liberalidade, principalmente em matéria de sexo, as biografias agora contam tudo. Biografia sem uma revelação antes desconhecida ou suprimida não tem graça, ou não é biografia. Até as autobiografias precisam incluir confissões reveladoras, para serem confiáveis.

Existe um livro que diz explicitamente o que todos já desconfiavam: que J. Edgar Hoover, eterno diretor do FBI, defensor da lei, da ordem e dos bons costumes, caçador de comunistas e um notório durão, ia a festas vestindo um tutu rodado. John Kennedy, sabe-se agora, jamais perguntava a americanas o que seu país poderia fazer por elas, mas o que elas poderiam fazer pelo seu país ali mesmo, em cima da mesa do Gabinete Oval. Durante os anos Kennedy a maior ameaça à segurança dos Estados Unidos era alguma moça disparar foguetes nucleares contra a União Soviética com sua bunda, sem querer. (E quando os mísseis soviéticos começassem a cair sobre Washington em retaliação, se ouviria da Casa Branca a voz de Kennedy gritando "My God, isto é o que eu chamo de orgasmo!".)

Em breve saberemos que Cristóvão Colombo desembarcou no Novo Mundo de mãos dadas com um marinheiro. Que Átila, o Flagelo de Deus, era secretamente chamado pelos seus comandados de Rainha dos Hunos e vivia maritalmente com seu cavalo. Que mesmo durante a guerra Winston Churchill continuou reunindo-se todas as quintas com ex-colegas de escola para relembrarem as festas no dormitório, inclusive com as ligas pretas. E que certa vez Charles de Gaulle foi convidado para a reunião, chocou-se com o que viu, mas no meio da noite já estava só de combinação.

Alguns detalhes históricos serão esclarecidos. Napoleão enfiava a mão dentro da túnica seguidamente para ajeitar o soutien. Stalin tinha um bigode cor-de-rosa para usar em ocasiões especiais. Monsieur e Madame Curie eram a mesma pessoa. O doutor Frankenstein inventou a história do monstro criado no seu laboratório para justificar aquele halterofilista morando com ele.

Etc. etc.

Padre Alfredo

O padre Alfredo estava ficando velho. Todos na paróquia concordavam: era triste, mas o padre Alfredo precisava se aposentar. Durante anos ele servira a comunidade com dedicação e sabedoria. Mas seu tempo estava acabando. Era bonito vê-lo batizando netos de gente que ele também batizara, mas era constrangedor vê-lo se confundindo e derramando a água benta na cabeça do avô em vez do neto. E comentava-se que suas aulas de catecismo também tinham se tornado confusas. Por alguma razão, ele insistia que o pai de Jesus não se chamava José, mas Clóvis.

O primeiro sinal de que o padre Alfredo deveria ser substituído foi na inauguração do microfone, na missa. Ele resistira o quanto pudera, mas finalmente fora convencido a aceitar a novidade. Todos os padres estavam usando microfones durante o serviço religioso. Alguns traziam o microfone preso no peito, para ficarem com as mãos livres. Quando empunhou o microfone pela primeira vez, o padre Alfredo examinou-o em silêncio por alguns minutos e depois levou-o à boca e começou a cantar um bolero. O que mais espantou os fiéis foi o padre Alfredo saber toda a letra de *Tu me acostumbraste*.

O padre Alfredo dormia durante as confissões. Só acordava quando o penitente, estranhando o silêncio do outro lado do gradil, falava mais alto.

— E então, padre?
— Ahn?
— Qual é a penitência?
— Penitência?
— Pelos meus pecados.
— Dezessete ave-marias e vinte e nove padre-nossos.
— Mas padre, não houve penetração.
— Não interessa.
— O senhor nem ouviu os pecados!
— Mais trinta salve-rainhas pela insolência. E corta os doces por um mês.

Mas o que levou membros da comunidade a pedir a interdição do padre Alfredo foi seu comportamento na cerimônia de casamento do Agenor e da Maria Estela. Igreja lotada. Autoridades presentes. Grande pompa. O organista tocando seleções de Lloyd-Webber. Entre aias, padrinhos, madrinhas e parentes, mais de cinquenta pessoas no altar. E o padre Alfredo, que aderira ao microfone preso no peito, perfilado no seu lugar, com os olhos fechados. Tensão na igreja. Num casamento recente, o padre Alfredo lançara-se numa longa dissertação sobre o significado da união entre o homem e a mulher, começando com Adão e Eva, passando por Clóvis e Maria e chegando aos nossos dias, com o sacramento tão desprestigiado, e tanta gente vivendo junta sem benefício de matrimônio. E terminara pedindo à congregação uma salva de palmas para o casal à sua frente, que decidira se casar na igreja. Ele mesmo liderara o aplauso, como um chefe de torcida. O que o padre Alfredo iria aprontar agora?

O padre Alfredo custou a começar a cerimônia. O pai da noiva já se preparava para cutucá-lo, temendo que o padre estivesse dormindo em pé, quando ele abriu os olhos, sorriu para os noivos, e perguntou:

— Vocês têm certeza?

Noivo e noiva se entreolharam. O padre continuou:

— Vocês sabem o que estão fazendo?

O Agenor se sentiu na obrigação de responder.

— Sim, padre.

— Já pensaram no que vem por aí? Uma vida inteira, juntos? As brigas, às vezes por mesquinharia? O ciuminho? Os sogros se metendo? As diferenças: filme de pancadaria ou filme romântico? Luz acesa para um ler quando o outro quer dormir? Um não podendo viver sem ar refrigerado, apesar da rinite do outro? Já pensaram?

E um murmúrio de perplexidade percorreu a plateia quando o padre Alfredo acrescentou:

— E ainda por cima tem os filhos. Outra incomodação.

O padre retirou-se do altar com um abano, aconselhando os noivos:

— Pensem melhor, pensem melhor...

Não havia dúvidas. O padre Alfredo precisava se aposentar.

Os pêssegos

Estava ficando tarde. Tinham começado a jogar às nove, eram duas da manhã. Cinco horas de pôquer. E ainda por cima o Natalino perdia feio. Passara a noite inteira perdendo feio. E ficando cada vez mais irritado.

Não se ouvia mais nada na mesa, além dos ruídos naturais do pôquer. O clicar das fichas. Frases curtas: "Dou cartas." "Vou." "Não vou." "Pago pra ver." "Não é possível!" (o Natalino). Etc. Um ou outro gemido. E alguns bocejos. Estava ficando tarde.

Foi quando o Eraldo disse "não vou" e jogou fora as suas cartas. Não iria naquela rodada. Espreguiçou-se. E depois disse a frase:

— Os pêssegos estão ruins este ano.

O Natalino olhou em volta, com cara de espanto. Depois perguntou:

— O que, Eraldo?

— Os pêssegos. Não estão bons este ano.

— E o que os pêssegos têm a ver com o jogo, Eraldo? Ou com qualquer coisa?

— Nada. Foi só um comentário.

— Não é metáfora? Os pêssegos não querem dizer outra coisa? Pêssegos ruins são um mau presságio, é isso? Como pássaros caindo mortos do céu? Um prenúncio do fim dos tempos? Ou o quê?

— Não. Nada. Eu só comentei que...

— Está bom, Eraldo. Nós já ouvimos. Agora deixa eu me concentrar na minha mão. Que, como sempre, está uma porcaria.

O silêncio voltou à mesa. O jogo continuou. Natalino tinha um par de rainhas. Perdeu para dois pares. O baralho andou. Nova rodada. Todos fizeram o seu jogo. E o Eraldo falou:

— E olha que é tempo de pêssegos...

Natalino avisou ao resto da mesa:

— Eu vou matar esse cara.

— Calma, Natal. Calma.

— Eu vou matar esse cara!

Eraldo tentou se defender.

— Eu só estava...

— Me faz um favor, Eraldo — interrompeu Natalino. — Não diz mais nada. Eu não quero mais ouvir a palavra "pêssegos" esta noite. Está bem?

— Oquei, oquei.

Três rodadas silenciosas depois, novamente o Eraldo:

— Quem é o tal de Holden, afinal?

— Quem?

— Texas Holden. O nome desse tipo de pôquer que o pessoal está jogando.

— Não é Holden. É "hold'em". "Texas hold'em." Eme no fim.

— Ah...

Novo silêncio, e de novo o Eraldo:

— Será parente do William?

— Quem?

— William Holden. Aquele ator americano que fez...

Natalino se atirou por cima da mesa para agarrar a garganta do Eraldo. Espatifou a mesa. Tiveram dificuldade em arrancar o Natalino de cima do Eraldo, que ele tentava esgoelar. Todos concordaram que Natalino tinha razão para se irritar daquele jeito, ainda mais perdendo como estava. Mas também desconfiaram que havia estratégia na sua explosão. Com o seu salto espetacular, as fichas tinham se espalhado para todos os lados. Seria impossível saber quem estava ganhando ou perdendo. De qualquer jeito, decidiram acabar o jogo. Estava ficando tarde.

Robespierre e seu executor

Maximilien Marie Isidore de Robespierre foi um dos líderes da Revolução Francesa. Chamado de "O Incorruptível", foi o principal teórico e porta-voz dos jacobinos, a facção mais radical dos revolucionários, em oposição aos girondinos, mais moderados. Exigiu o guilhotinamento do rei e da rainha e instalou o "Terror", que liquidou opositores da Revolução, ou apenas suspeitos de se oporem à Revolução, numa orgia de sangue que não poupou nem seu ex-companheiro Danton (o Trotsky para o seu Stalin, numa analogia um pouco forçada). Pouco depois da execução de Danton, o próprio Robespierre foi preso por seus inimigos girondinos e condenado à morte. Na mesma guilhotina.

* * *

Imaginemos que na véspera da sua execução, Robespierre recebe na cela a visita de um verdugo oficial. Que se apresenta:
— Louis-Phillipe Affilè.

— Enchantê.

— Seu admirador.

— Muito obrigado.

— Foi por sua causa que entrei para o serviço público. Foi ouvindo seus discursos que me decidi a servir a Revolução.

— A Revolução agradece.

— Sou obrigado a fazer esta visita, antes de cada execução. Para, por assim dizer, preparar o terreno...

— Você quer dizer, a minha nuca.

— Também devo medir a sua cabeça, para saber o tamanho do cesto. O farei com a devida reverência. É a cabeça mais brilhante da República.

— Esteja à vontade. Minha cabeça não pertence mais à República. A República não a quis mais. Na verdade, minha cabeça já pertence a você.

— O senhor prefere raspar a nuca?

— Como foi com o Danton?

— Ele disse que uma navalha antes da lâmina da guilhotina seria uma apoteose do supérfluo.

— Ah, as frases do Danton. Ele foi o mais frívolo de nós dois. Se contentava em fazer frases. Eu queria fazer História.

— Maria Antonieta pediu para manter todo o seu cabelo. Disse que era por razões sentimentais. Sentia-se muito apegada a ele.

— Você também foi o executor da Maria Antonieta?

— Sim. Foi no meu turno. Nós os verdugos não temos tido descanso. O senhor nos dá muito trabalho. Ou nos dava...

— Tudo pela Revolução.

— Eu sei. É por isso que mantenho este emprego, apesar das lamúrias dos condenados, das ofertas de propina... Tudo pela Revolução.

— O Danton e a Maria Antonieta ofereceram propina para não serem guilhotinados?

— O Danton não. A Maria Antonieta sim. Uma fortuna. Resisti. Também sou incorruptível. Inspirado no senhor.

— E se eu lhe oferecesse uma fortuna para me ajudar a fugir?

O verdugo fica em silêncio. Depois sorri.

— Eu diria que o senhor está me testando. Para saber se minha admiração pelo senhor é sincera. E se eu sou mesmo incorruptível, como o senhor.

— E se eu insistisse na oferta?

— Então todas as minhas ilusões ruiriam. Minha admiração pelo senhor desapareceria e eu não acreditaria em mais nada. Nem na Revolução.

— Situação interessante — diz Robespierre.

— Para continuar me admirando, você precisa me matar.

Silêncio. O verdugo pergunta:

— Foi um teste, não foi?

— Claro — diz Robespierre.

— E então, vamos raspar a nuca?

— Só uma aparadinha, para o corte da lâmina ser limpo.

O maior mico do mundo

Pouco depois de ver o convite para o enterro do Vidigal no jornal e comentar com a mulher "acho que esse Vidigal eu conheci", Rubens recebeu um telefonema. Da viúva do Vidigal. Enquanto Rubens fazia uma careta de espanto para a mulher, a viúva do Vidigal se identificava, dizia que o Vidigal falava muito nele, e perguntava se podia lhe pedir um favor.

— Claro, claro.

A viúva então disse que um dos últimos pedidos do Vidigal fora que ele, Rubens, cantasse no seu enterro.

— Que eu?

— Cantasse no enterro dele.

— Mas eu...

— Ele disse que você saberia o que cantar. Que era só dizer "aquela música" e você saberia.

— Bom, eu...

— Posso contar com você? O enterro é às cinco.

* * *

Depois de saber qual era o pedido da viúva do Vidigal, a mulher do Rubens perguntou, incrédula:

— E você disse "sim"?!
— O que eu podia dizer? Foi o último pedido do Vidigal!
— E que música é essa?
— Não me lembro. Mal me lembro do Vidigal!
— Mas Rubens, você não sabe cantar. Você desafina no *Samba de uma nota só*. No *Parabéns a você*!
— Eu sei. Eu sei!
— E você vai assim mesmo?
— Agora está prometido.

* * *

No carro a caminho do cemitério, Rubens tentava se lembrar. Qual seria "aquela música"? Se ao menos se lembrasse da época em que andara com o Vidigal. Sabendo a época, localizaria a música. Ou improvisaria uma na hora. Talvez *Samba de uma nota só*, só a primeira parte? Não, não ficaria bem. *Parabéns a você* muito menos. Qual era a música? Qual era a música? E Rubens se aproximava do cemitério como um kamikaze se aproximando do alvo.

* * *

Ela se enganou, pensou Rubens. Ou o Vidigal se enganou. Não era eu que cantava a música. Era outro. Mas quem? Não se lembrava de ninguém cantando, na época em que ele andava com o Vidigal e a turma se reunia no...no... Esquecera até o nome do bar! Ninguém daquela turma cantava. Devia ser outra turma. Era isso. O Vidigal, à beira da morte, confundira as coisas. O cantor era de outra turma.

    O cemitério cada vez mais perto. Não vou, pensou Rubens. Não preciso ir. Foi um engano. Dou meia-volta agora, depois invento uma desculpa se a viúva do Vidigal me cobrar. O carro quebrou. Fiquei afônico. Fui sequestrado. Mas não. Não podia deixar o Vidigal sem a sua música, fosse ela qual fosse. A viúva contava com ele. Devia aquilo ao Vidigal. Amigo é amigo, mesmo quando a gente mal se lembra quem era. E estava prometido.

* * *

    O velório cheio. A viúva o recebeu com um beijo agradecido. Aquilo significaria muito para o Vidigal. E perguntou, baixinho:

— Não trouxe o violão?

Rubens estava tomado por uma espécie de frenesi suicida. Tinha certeza de uma coisa: nunca, em toda a história do mundo, alguém pagara um mico como aquele. Mas agora não podia recuar. Limpou a garganta e disse:

— Não. Vai *a capella* mesmo.

Os bolsos do morto

O morto não é exatamente um amigo. Mais um conhecido, mas daqueles que você não pode deixar de ir ao velório. E lá está ele, estendido dentro do caixão forrado de cetim, de terno azul-marinho e gravata grená, esperando para ser enterrado.

Se fosse um amigo você ficaria em silêncio, compungido, lembrando o morto em vida e lamentando sua perda. Como é apenas um conhecido, você comenta com o homem ao seu lado — que também não parece ser íntimo do morto:

— Poderiam ter escolhido outra gravata...
— É. Essa está brava.
— Já pensou ele chegando lá com essa gravata?
— "Lá" onde?
— Não sei. Onde a gente vai depois de morto. Onde vai a nossa alma.
— Eu acho que a alma não vai de gravata.
— Será que não? E de fatiota?

— Também não.
— Bom. Pelo menos esse vexame ele não vai passar.
— Você é da família?
— Não. Apenas um conhecido.

Você examina o morto. Engraçado: ele vai partir para a viagem mais importante, e mais distante, da sua vida, mas não precisa carregar nada. Identidade, passaporte, nada. Nem dinheiro, o que dirá cheques de viagem ou cartões de crédito. Nem carteira!

Você diz para o outro:
— A coisa mais triste de um defunto são os bolsos.

O outro estranha.
— Como assim?
— Os bolsos existem para ele carregar coisas. Coisas importantes, que definem a sua vida. CPF, licença para dirigir, bloco de notas, caneta, talão de cheques, remédio pra pressão...
— Pepsamar.
— Pepsamar, cartão perfurado da Sena, recortes de artigos sobre a situação econômica, fio dental... Isso sem falar em coisas com importância apenas sentimental. Por exemplo: um desenho rabiscado por uma possível neta que parece, vagamente, um gato, e que ele achou genial e guardou. Entende?
— Sei...
— E aí está ele. Com os bolsos vazios. Despido da vida e de tudo que levava nos seus bolsos, e que o definia. O homem é o homem e o que ele leva nos bolsos. Poderiam ter deixado, sei lá, pelo menos um chaveiro.
— Você acha?
— Claro. As chaves da casa. As chaves do carro. Qualquer coisa pessoal, que pelo menos fizesse barulho num bolso da fatiota, pô!

Você se dá conta de que está gritando. As pessoas se viram para reprová-lo. "Mais respeito" dizem as caras viradas. Você faz um gesto, pedindo perdão. Sou apenas um conhecido, desculpem. Mas continua, falando mais baixo:

— A morte é um assaltante. Nos mata e nos esvazia os bolsos.
— Sem piedade.
— Nenhuma.

Dia das Mães

Os quatro filhos se reuniram para decidir o que fazer. Já tinha havido uma reunião, meses antes, depois de a mãe deles anunciar que estava vivendo com outra mulher, chamada Noelma, com quem iria se casar assim que fosse legal. Naquela ocasião só o filho mais velho, Gustavo, se rebelara. Sua mãe vivendo com outra mulher. Sua mãe dormindo com outra mulher! Era inconcebível. Ele não aceitava. Os outros filhos — Gabriela, Guilherme e Guiomar — tinham se surpreendido com a notícia (logo a dona Odalinda, que não deixava trazerem namorado pra casa!), mas aceitado.

Gustavo resistira:

— Não quero nem conhecer essa mulher.

Mas acabara conhecendo a Noelma, na festa de ano-novo da família. A contragosto. E sem levar os filhos, para não verem a vovó trocando beijos com a Noelma.

* * *

A reunião agora era por outra razão. Aproximava-se o Dia das Mães, e era costume "as crianças" darem presentes para dona Odalinda no Dia das Mães. A questão era: este ano, deveriam dar presentes para a Noelma também?

— Para todos os efeitos, ela é nossa madrasta — disse a Gabriela.

— Nem pensar — disse Gustavo.

A Guiomar concordou com Gustavo. Tecnicamente, Noelma não era madrasta de ninguém. Pelo menos até que se casasse com a mãe deles.

Gabriela achou que deveriam dar um presente para Noelma, nem que fosse só um marcador de livro. Para ela não se sentir enjeitada.

O voto decisivo seria do Guilherme.

— Um presente de Dia das Mães para a amante da minha mãe? Olha, eu me considero um cara moderno, esclarecido, tolerante e tudo o mais. Mas não tanto. Ainda não estou preparado para isso.

Ficou decidido. Nenhum presente para a Noelma.

* * *

Outro costume da família era o almoço do Dia das Mães, quando dona Odalinda cozinhava, e depois da sobremesa simulava surpresa ao receber os presentes dos filhos. "Ai meu Deus, não precisava!" Todos os anos a mesma coisa. Mas neste ano havia uma novidade na mesa do almoço do Dia das Mães. A Noelma — e o filho da Noelma. Sim, Noelma tinha um filho. Chamado Hugo. Um moço dos seus 35 anos, sério, pálido, que ficara todo o almoço sem dizer uma palavra. E que no fim se levantou do seu lugar e foi buscar dois pacotes que deixara perto da porta de entrada. Um presente para a sua mãe e outro para Odalinda. Ambos caríssimos.

— Isso deve ter custado uma fortuna! — exclamou a Noelma.
— Você merece, mamãe — disse Hugo.
— Hugo! — gritou Odalinda. — Que presentão. E você não é nem meu filho!
— É como se fosse, dona Odalinda.
Foi aí que o Gustavo declarou:
— Os presentes ainda não acabaram!
E sacou um talão de cheques do bolso.

* * *

Mais tarde os irmãos, reunidos, concordaram: Gustavo fizera a coisa certa ao preencher o cheque com aquela grande quantia. Era preciso dar uma resposta à altura ao Hugo (que tinha cara de embalsamador, segundo o Guilherme). Não podiam ficar para trás. Só achavam que Gustavo exagerara um pouco quando entregara o cheque a Odalinda e dissera:

— Para as duas pombinhas que estão começando uma vida nova.

"Duas pombinhas" fora um pouco demais.

Natal branco

O condomínio se chama Happy Houses. No portão de entrada está escrito "Entrance" em vez de "Entrada" e todas as ruas têm nomes em inglês, como "Flower Lane" e "Sunshine Street". O condomínio tem um "playground" para as crianças, com serviço permanente de "baby-sitters" e uma área de lazer para adultos chamada "Relaxation and Recreation". Cada casa, em estilo americano, tem seu "swimming pool" e o policiamento de todo o projeto é fornecido pela empresa de segurança "Confidence". No Natal, as casas ficam cobertas de luzinhas decorativas e os moradores costumam fazer uma grande festa comunitária na praça central, ou "Central Park", do condomínio, com Papai Noel, troca de presentes e tudo, ao som de *Jingle Bells*. E sempre há um que começa a cantar *White Christmas*, e não demora estão todos cantando, em inglês, que sonham com um Natal branco, com um Natal com neve. E, numa noite de Natal, aconteceu o seguinte: quando estavam todos cantando *White Christmas* começou a nevar sobre o condomínio.

A princípio, ninguém acreditou. O que era aquilo? Flocos brancos caindo do céu e se acumulando no chão do "Central Park", nos galhos da árvore de Natal, na cabeça das pessoas? Parecia neve.

— É neve! — exclamou alguém.

— Como, neve? Aqui? No verão? Com este ca...

Não pôde completar a frase porque foi atingido no nariz por uma bola de (agora não havia mais dúvidas) neve.

A algazarra foi grande. O sonho se realizava. As preces tinham sido ouvidas. Pois só um milagre explicava aquela neve. Só um milagre explicava estarem tendo um Natal branco, como deveriam ser todos os natais.

Todos correram para dentro de suas casas, para procurar agasalhos e voltar para a praça. A neve não parava de cair, cada vez com mais intensidade. Já havia neve acumulada nos jardins e nos telhados. Surgiram bonecos de neve, iguais aos de filme americano. As crianças se divertiam rolando na neve. E continuava a nevar, e a nevar. A locomoção sobre os montes de neve se tornava difícil. Muitos decidiram voltar para suas casas antes que a neve os impedisse de andar nas ruas. As casas não tinham calefação, como seria se ficassem soterrados pela neve durante dias? As lareiras das casas eram só para dar um toque americano, como nos filmes, à decoração. Não adiantariam nada. O socorro demoraria a chegar, por causa da neve. E continuava a nevar, e a nevar. A neve já estava pelas janelas das casas. Os telhados poderiam não aguentar o peso de tanta neve acumulada. Ninguém dormiu tranquilo sob as cobertas, naquela noite.

No dia seguinte, outro milagre. A neve desaparecera por completo. Só restara um montinho na cabeça de um jacaré de borracha boiando numa das piscinas, e este também desapareceu com o calor. Os proprietários se reuniram no "Meeting Room" da "Relaxation and Recreation" para discutir o fenômeno. Estranhamente, não saíra nenhuma notícia de nevadas em outros lugares da região. A neve só caíra no "Happy Houses". Por que seria? Decidiram não falar do ocorrido para ninguém fora do condomínio. Se acontecesse outra vez, contariam. Ser o único lugar do Brasil em que nevava no Natal só aumentaria o valor das propriedades. Mas, por enquanto, não diriam nada. A nevada poderia muito bem ter sido uma lição.

Abraão e Isaque

Deus mandou Abraão imolar seu único filho, Isaque, e oferecê-lo em holocausto a Ele sobre uma das montanhas de Moriá. E tomou Abraão a lenha do holocausto e um cutelo e levou seu filho ao lugar que Deus lhe dissera. E edificou Abraão ali um altar e amarrou a Isaque e deitou-o em cima da lenha. E estendeu Abraão sua mão com o cutelo para imolar seu único filho. Mas um anjo do Senhor lhe bradou desde os céus "Abraão, Abraão, não estenda tua mão sobre Isaque e não lhe faça mal. Agora sei que temes a Deus, pois não lhe negaste teu único filho em holocausto". E Abraão levantou os olhos e viu um cordeiro que Deus provera para oferecer em holocausto em lugar do seu filho, e assim fez. E o anjo do Senhor bradou que a semente de Abraão se multiplicaria como as estrelas do céu, e subiria à porta dos seus inimigos, e abençoaria todas as Nações da Terra, porque Abraão obedecera à voz de Deus.

* * *

Muitos anos depois:

— Eu ainda sonho com aquele dia, e acordo tremendo.

— Você era um menino...

— Vejo o cutelo na sua mão, vejo o seu rosto contorcido pela dor, vejo os seus olhos cheios d'água...

— Você era um menino...

— Lembro de tudo. Lembro dos trovões.

— Era a voz do anjo, me falando dos céus.

— Não ouvi a voz do anjo. Ouvi trovões. Só você ouviu a voz do anjo.

— Meu filho...

— Eu sei. Faz muito tempo. É melhor esquecer. Mas não consigo esquecer. Sonho com aquele dia todas as noites, e acordo tremendo.

— Você era um menino.

— Me lembro das nuvens escuras. De uma revoada de pássaros negros. Pássaros atônitos, chocando-se no ar. O céu parecendo recuar com o horror da cena. Um pai imolando um filho!

— Um sacrifício. Um ritual necessário de sangue. A cerimônia inaugural da nossa tribo, com os favores do céu.

— Um horror.

— Uma história muito maior do que a nossa. Muito maior do que a de um filho imolado. Hoje sou o pai de nações, o patriarca do mundo, porque obedeci ao Senhor e minha semente foi abençoada.

— Você ficou com o poder, eu fiquei com os pesadelos.

— Nossa tribo foi abençoada. Da minha semente nasceu a nossa glória.

— Você ficou com a glória, eu fiquei com as marcas das cordas.

— Você viu o meu rosto contorcido de dor, filho. Viu meus olhos cheios d'água. Viu que eu estava sofrendo por ter que matá-lo.

— O fio do cutelo encostou na minha garganta.

— Mas eu não o matei!

— Porque Deus não deixou. Porque Deus mudou de ideia.

— Meu filho...

— Eu sei. Faz muito tempo. É melhor esquecer. Vou conseguir sobreviver às minhas memórias e aos meus pesadelos. Como você sobreviveu ao que sabe.

— O que eu sei?

— Que deve tudo que tem, seu poder e sua glória, a um Deus volúvel. A um Deus incerto do que faz. A um Deus que volta atrás. A um Deus inconfiável.

— Ele estava me testando.

— Então é pior. Um Deus frívolo e cruel.

— Você era apenas um menino...

— Me lembro das nuvens escuras e dos pássaros atônitos. E do céu recuando diante daquela abominação: um pai matando um filho. E me lembro dos trovões.

— Era o anjo do Senhor falando comigo.

— Eram trovões.

— Obedeci à voz dos céus porque temo a Deus.

— Mais razão para temê-lo tenho eu, meu pai, que senti o fio do cutelo na garganta.

— Na origem de todos os povos há uma cerimônia de sangue.

— Então na origem de todos os povos tem uma abominação.

— Esta conversa se repete, filho. Por quanto tempo ainda a teremos?

— Por todos os tempos, pai.

Reféns da palavra

No seu livro *Lessons of the Masters*, George Steiner lembra que nem Sócrates nem Jesus Cristo, que ele chama de as duas figuras "pivotais" da nossa civilização (de pivôs, como no basquete ou nos crimes passionais), deixaram qualquer coisa escrita. São mestres cujas lições sobreviveram no relato de outros, Platão no caso de Sócrates e os evangelistas no caso de Jesus. Não existe nem evidência de que os dois soubessem escrever. A única, enigmática referência da Bíblia a um Cristo escritor está em João 8:1-8, quando, indagado pelos fariseus sobre o destino da mulher flagrada em adultério, Jesus finge que não ouve e escreve algo no chão com o dedo — ninguém sabe o que ou em que língua. Existe até uma velha piada, que Steiner cita, sobre um acadêmico moderno comentando o currículo de Jesus: "Ótimo professor, mas não publicou."

O legado literário de Sócrates, via Platão, é em forma de mitos, o de Jesus, em forma de parábolas. Dois meios de organização e transmissão oral de memória que a escrita diminui, transformando narrativa aberta em cânone e lição em dogma. Nos diálogos de Platão o pensamento vivo de Sócrates já se coagulou em filosofia, nos textos bíblicos a verdade poética de Cristo se petrificou em verdades sagradas, irrecorríveis. Mas o maior defeito da escrita seria o de ter sabotado a memória como guia, roubando a sua função civilizatória de "mãe das musas".

 Durante muito tempo, os gregos desconfiaram da palavra escrita como a linguagem cifrada de um mundo obscuro que só levava à danação, diferentemente do que se aprende "de cor", ou com a linguagem do coração. Homero, o inventor da literatura ocidental, era maior porque também nunca escrevera nada e suas estrofes inaugurais tinham sido transmitidas oralmente, de coração em coração. Mas isto pode ser outro mito. "Omeros" em grego, descobri agora, quer dizer refém. Homero, como o primeiro escritor do nosso mundo, seria o primeiro prisioneiro da maldita palavra grafada.

 Meu convívio forçado com o computador, sua conveniência, seus mistérios e seus perigos, me faz pensar muito sobre a precariedade da palavra. Pois um pré-eletrônico como eu está sempre na iminência de ver textos inteiros desaparecerem sem deixar vestígio na tela. O computador nos transforma todos em reféns sem fuga possível da palavra e pode acabar, num segundo, com um dia inteiro de trabalho da pobre musa dos cronistas em trânsito. Que, como se sabe, se chama Ritinha, é manicure e faz trabalho de musa como bico. Ao mesmo tempo, nos transformou na primeira geração na História que tem toda a memória do mundo ao alcance dos seus dedos.

 O computador resgata a memória como mestre da História ou, ao contrário, nos exime de ter memória própria, e decreta o domínio definitivo da escrita sobre quem a pratica? Sei lá. É melhor acabar aqui antes que este texto desapareça.

Duas cidades

O final da Bíblia poderia ter o mesmo título do livro de Charles Dickens: é uma história de duas cidades. O Apocalipse trata do Juízo Final e do novo céu e da nova terra que virão, mas as grandes personagens do drama são Babilônia e Jerusalém. Personagens marcadamente femininas: Babilônia, a grande prostituta, "vestida de linho fino, de púrpura, de escarlate e adornada com ouro e pedras preciosas e pérolas" cujos pecados se acumularam até o céu e provocaram sua destruição, e Jerusalém, a "mulher do Cordeiro" que desce do céu "como uma esposa ataviada para seu marido", no advir dos novos tempos. Jerusalém, segundo a Bíblia, "tinha a glória de Deus, e a sua luz era semelhante a uma pedra preciosíssima, como a pedra de jaspe, como o cristal resplandecente". Ou seja, a virtuosa Jerusalém não brilhava menos do que a pecaminosa Babilônia. Não era menos feminina.

As cidades são sempre mulheres, se Babilônia ou Jerusalém depende de quem as descreve. A literatura está cheia de cidades evocadas com paixão ou ressentimento — geralmente vistas do exílio, ou de uma distância que as mitifica — e há sempre algo de amoroso ou desiludido na evocação, sentimentos associados com a perda de um território afetivo, maternal. Cidade é sempre mãe, seja prostituta de escarlate ou mulher do Cordeiro. Só muda o modo como é lembrada.

    São Petersburgo era, para Vladimir Nabokov, ao mesmo tempo o cenário sagrado da sua infância e o símbolo do que lhe foi roubado, com a ida forçada para o exílio. Evocando São Petersburgo ele evocava, além da vida idílica que levava, os privilégios perdidos da sua classe, numa síntese do pessoal e do histórico que, se não foi exatamente justa com a revolução, deu grande literatura. De qualquer jeito, para a Rússia, se não para Nabokov, São Petersburgo foi primeiro Babilônia, uma capital da perdição, e depois Jerusalém, uma promessa de tempos virtuosos.

    A Dublin de Joyce e a Florença de Dante foram retratadas a distância, e um usou sua cidade e seus habitantes como metáfora para o mundo e o outro foi mais longe, usou sua cidade e seus habitantes numa metáfora sobre este mundo e o outro. Joyce se autobaniu de Dublin mas nunca a abandonou realmente, Dante foi banido de Florença mas, em pensamento, nunca a deixou. Ambos foram filhos fiéis de mães ingratas. Não se pode fazer maior homenagem a uma mãe do que lembrar seu cotidiano como uma representação da experiência humana sobre a Terra, ou pensar nela ao construir um modelo do além, incluindo o Inferno.

    "Nunca esquecer Jerusalém" é um adágio da fé judaica. A Jerusalém do Apocalipse do apóstolo João não é a Jerusalém dos judeus — e é. Há uma Jerusalém no centro de todas as fés, um ponto em que a cosmogonia de cada uma toca o chão, um polo da sua história e um santuário dos seus mistérios. E é sempre uma cidade, resplandecente como uma mulher inesquecível.

A tia que caiu no Sena

A conversa era sobre parentes, os parentes estranhos, interessantes ou, por qualquer razão, notáveis de cada um. Alguém já tinha contado que um parente comia favo de mel com abelha dentro. Outro contara que um tio longínquo se perdera no mato e fora encontrado quase à morte depois de uma semana. Outro que um avô tinha conhecido a Marlene Dietrich em Berlim. Outro que uma tia-avó fora miss, ou um primo jogava futebol profissional e até não era ruim. Foi quando Alda, timidamente, sem saber se o que tinha para contar merecia ser contado, disse:

— Eu tenho uma tia que caiu no Sena.

Ficaram todos esperando que ela continuasse, mas não havia mais nada para contar.

— Como foi que sua tia caiu no Sena?

— Não sei.

Mas como, não sabia?

— Não sei. Sempre ouvi contarem em casa que a tia Belinha tinha caído no Sena, mas nunca perguntei como.

— E a tia Belinha nunca contou?

— Não. Ela foi morar em outra cidade. Nos vimos pouco. E eu nunca me lembrei de perguntar.

— Ela ainda vive?

— Vive.

Aquilo não podia ficar assim. Uma pessoa não podia cair no Sena e fim de história. Era preciso investigar. Caíra no Sena como? Por quê? Fora um acidente? Caíra de um barco? Caíra de uma ponte?

Alda foi intimada a descobrir tudo o que pudesse sobre a queda da tia Belinha no Sena e contar para o grupo.

A mãe não ajudou.

— Foi quando ela esteve em Paris...

— É óbvio, mamãe. Mas quando foi isso? Ela estava sozinha? Foi com alguém?

— Não me lembro.

— Ela não contou como caiu no rio?

— Contou. Deve ter contado. Senão como é que a gente ia saber que ela tinha caído? Contou. Mas eu não me lembro. Faz tanto tempo.

— Vou falar com ela.

A tia Belinha nunca se casara. Estava internada numa clínica. Sempre fora pequena e magra e com a velhice ficara ainda menor e mais magra. Mas os olhos continuavam vivos. Fez uma festa quando viu a sobrinha.

— Aldinha!

— Como vai, titia?

— Eu não vou mais, minha filha. Eu agora só fico.

— Mas a senhora já andou bastante, hein, titia? Lembra quando foi a Paris?

— Ah, Paris, Paris. Nunca mais voltei. Fiquei só com as lembranças daquela vez. As lembranças me fazem companhia e me consolam.

— Como foi que a senhora conseguiu cair no rio, titia?
— Que rio?
— O Sena.
— Eu caí no Sena?!
— A senhora mesmo contou.
— Meu Deus, é mesmo. Eu caí no rio. Eu caí no Sena! Como foi aquilo, meu Deus? Eu não consigo...

E seus olhos de repente perderam o brilho. Quando falou outra vez, foi para se queixar da sua memória. Nem aquele consolo lhe restava. Nem as lembranças tinha mais. Como fora que ela caíra no Sena?

Alda contou para o grupo que a tia Belinha tinha ido sozinha a Paris e lá conhecera um conde francês, ligeiramente arruinado e ligeiramente maluco, com quem tivera um tórrido caso de verão. Numa noite quente, dançando numa margem do Sena, depois de muitos copos de champanhe, os dois tinham tropeçado e...

A Juliette

Eu estava em Paris e li que a Juliette Grecco estava se apresentando em algum lugar. Não fui vê-la. Juliette tinha passado algum tempo desaparecida e ressurgira não só com a mesma cara que tinha quando era a musa do existencialismo, mas com a mesma franja! O existencialismo, para quem nasceu agora, foi uma onda filosófica baseada em Heidegger e propagada por Sartre, entre outros, que dizia que a existência precede a essência e cujo principal mandamento foi exemplarmente resumido no Brasil numa marchinha de carnaval sobre a Chiquita Bacana lá da Martinica, uma existencialista com toda a razão que só fazia o que mandava o seu coração.

Na Paris dos anos quarenta e tantos e cinquenta e poucos o coração mandava que todos usassem gola rulê (ao contrário da Chiquita Bacana que só usava uma casca de banana nanica) e passassem o tempo em cafés discutindo o ser e o nada e paquerando a Juliette, que devia ter, pelos meus cálculos, uns 16 anos. Como cantora ela inaugurou a linhagem das Jane Birkin e etc., de intérpretes que, se tivessem voz, só atrapalharia.

Não sei se ela contribuía com alguma coisa às discussões filosóficas do momento. Acho que sua função era ser, exatamente, a Juliette Grecco do grupo. Gerações ainda por vir teriam suas próprias Juliettes Greccos — só eu conheci umas três — mas nenhuma se igualou ao protótipo. E ela, ainda por cima, namorou o Miles Davis. Eu deveria ter ido ver a Juliette. Uma mulher que foi a inspiração, ou mais do que isto, para Sartre e Miles Davis juntos merecia os mesmos respeitos devidos a Lou Salome, Alma Mahler, Yolanda Penteado e outras cujos nomes, só os nomes, evocam toda uma era e seu clima.

Mas não fui ver a Juliette. Quis evitar um choque cronológico. Me lembrei de um filme visto há muito tempo em que o corpo de um alpinista desaparecido anos antes é encontrado, intacto, numa geleira perto de um vilarejo, nos Alpes. Entre os habitantes do vilarejo que correm para ver o achado está a namorada do alpinista, que não sabe o que sentir diante daquela visão insólita — ou, no caso, sólida — do seu amado preservado em gelo, exatamente como era quando desapareceu. Ou seja, com vinte ou trinta anos menos do que ela. Qual é a reação apropriada? Gratidão, por poder rever o namorado como ele ficou na sua memória, pelo menos por alguns instantes antes que comece o degelo? Um sentimento de traição porque o tempo não fez com ele o que fez com ela? Resignação filosófica diante de uma das trágicas ironias da vida? Ou só espanto, sem literatura?

Como os artistas franceses parecem viver num ritmo metabólico diferente do nosso (até o Aznavour e o Henri Salvador ainda estavam na ativa, e Johnny Halliday continuava adolescente), eu estava ameaçado de ter, diante de uma Juliette Grecco com a mesma franja que tinha há cinquenta anos, o mesmo tipo de confusão de emoções da namorada do alpinista. A cronologia enlouqueceria. Nos defrontaríamos com nós mesmos naquele tempo, só que agora sem o equipamento necessário para enfrentá-lo. Não saberíamos mais nem a língua que falávamos.

Ainda se diz "fenomenologia"? O que foi mesmo que se decidiu, ou não se decidiu, nos cafés de Paris, e em todos os cafés de Paris do mundo, na época? Quem ganhou, afinal, o ser ou o nada?

Me imagino puxando conversa com a Juliette Grecco congelada.

— Como vão o Jean-Paul e a Simone?
— Bem, bem. Vou encontrá-los daqui a pouco.
— E o Miles, tem aparecido?
— Menos do que eu gostaria.
— Dê um abraço nele que eu mando.
— Quem é você?
— Ninguém, ninguém. Um visitante do futuro.
— Não estou entendendo.
— Eu também não.

Foi melhor não ter ido ver a Juliette Grecco.

Exilados

Há uma estátua de Sidney Bechet em algum lugar de Paris. Ele e Josephine Baker, em épocas diferentes — Josephine foi antes — foram os dois maiores exemplos de artistas negros americanos adotados por Paris. Onde, além de um refúgio do racismo, encontraram fama e favores como não tinham em casa. Até hoje Bechet tem mais reputação na França do que nos Estados Unidos. Era um tipo curioso, que cultivava com cuidado a própria singularidade. Para começar, tocava saxofone soprano, um instrumento raro no jazz ainda hoje. (Por favor, se você lembrou do Kenny G, pare de ler imediatamente.) Até John Coltrane começar a usá-lo com regularidade, só Bechet, Eric Dolphy e outros poucos jazzistas tocavam o sax soprano. Bechet era um mestre. Conhecido pela sua vaidade, tanto quanto pelo temperamento explosivo e a excentricidade, Bechet nunca discordou dos franceses que o idolatravam. Sua interpretação mais famosa é da sua própria composição *Petite fleur*.

Bechet é um bom exemplo do outro lado da relação de Paris com os seus expatriados. Para alguns o exílio em Paris foi uma liberação e uma educação, para outros Paris acabou sendo um retiro quase provinciano, e um atraso. É enorme a lista das vanguardas que floresceram na cidade, embora seja relativamente pequeno o número das que nasceram lá, mas muitos — principalmente os americanos — só aproveitaram de Paris o pitoresco e o aluguel baixo. Com a possível exceção de Gertrude Stein, cuja sensibilidade já era meio europeia, todos os outros brancos (Hemingway, Fitzgerald, Miller, etc.) provavelmente fariam o que fizeram com ou sem o seu rito de passagem por Paris. E se para estes Paris foi só paisagem, para artistas tipo Bechet, mimado além da conta por razões que não tinham a ver com a música, Paris foi um mundo protegido, diminuído e finalmente diminuidor.

Para os seus contemporâneos no jazz, Bechet morreu como uma curiosidade, mais uma mania francesa do que um grande músico. O pianista Bud Powell, supostamente o modelo para o personagem do filme *Round about Midnight*, teria tido o mesmo destino de Bechet se não preferisse voltar para Nova York, a sujeira, as drogas, o ódio racial e a realidade. Morreu moço e louco, mas com a reputação de gênio. Para Bechet o exílio foi uma espécie de abstenção. E ele foi um precursor da estranheza americana com o gosto francês em americanos que culminou com as exegeses críticas da obra de Jerry Lewis. Em Paris, Bechet estava longe da zona de combate, onde a sensibilidade jazzística brigava com o crasso comercialismo, a incompreensão, a discriminação e o embrutecimento, mas onde as reputações que contavam eram feitas.

Muitos exilados em Paris eram isso, combatentes longe da ação. Viviam no centro do mundo com a sensação de que sua vida devia estar acontecendo em outro lugar. O próprio Bechet se livrou da síndrome porque era tão vaidoso, dizem, que achava que era, pessoalmente, o centro do mundo.

Em Paris há uma academia de música russa cujo refeitório é aberto ao público. Comida previsível — o estrogonofe, fica-se sabendo, não foi uma invenção de anfitriãs brasileiras nos anos cinquenta, é russo mesmo —, mas boa e barata. Come-se no porão da academia em meio a retratos de compositores russos e uma decoração pobre mas evocativa. Bonecas e balalaicas e um velho rádio de madeira no qual jamais se ouvirá que o tzar voltou. Há algo de melancólico nestes enclaves de nostalgia para refugiados de outros tempos, embora ninguém à nossa volta parecesse muito russo ou ressentido. Justamente por ser a cidade mais cosmopolita do mundo, Paris acabou sendo uma confederação de deslocados, de pequenas comunidades desterradas, cada uma com suas saudades e suas queixas em mau francês.

Todas as diásporas do século dos refugiados se cruzaram em Paris. Pode-se mesmo fazer uma recapitulação deste século cruel através das lembranças de terras abandonadas grudadas nas suas paredes. Russos corridos da sua terra pela História, portugueses corridos da sua terra pela miséria, brasileiros exilados amaldiçoando o frio e o feijão-branco e sonhando em voltar para retomar suas vidas consequentes, ou pelo menos se atualizar com a gíria. A vida de verdade acontecendo longe de todos eles. A vida cosmopolita sendo, como para Sidney Bechet, um sinônimo de irrelevância.

Na saída da academia russa dá-se com a Torre Eiffel do outro lado do rio. A torre foi inaugurada no começo do século dos refugiados. O exílio foi o fato intelectual do século XX e provocou ou inspirou os artistas que não diminuiu.

Mas ô século desgraçado.

RSVP

Ideia para uma peça.

No palco uma mesa posta para 13 pessoas. Copos, pratos e talheres rústicos, grossas velas toscas e na frente de cada lugar um cartãozinho com o nome de quem deve sentar ali. Ninguém no palco.

Da esquerda aparece um mordomo seguido de um casal elegantemente vestido. O casal entra em cena visivelmente inseguro, olhando para todos os lados. O mordomo anuncia que os outros não demorarão a chegar e diz para o casal ficar à vontade. Se quiserem, podem beber água da moringa. O mordomo sai de cena. O casal se entreolha.

Ela diz, num cochicho:

— Onde nós estamos?

Ele, cochichando também:

— E eu sei?

— Olhe o convite de novo.

O homem tira o convite do bolso do smoking e o examina pela décima vez. O convite ainda diz a mesma coisa.

— Só a data, a hora, o endereço e, embaixo, "RSVP".

— Esse "RSVP" é que é a chave de tudo. Deve ser as iniciais de alguma coisa.

— Mas do quê?

— "Reunião dos..." Sei lá.

— Podemos estar no jantar errado.

— Mas o mordomo viu o convite e nos deixou entrar.

— Olhe os cartõezinhos para ver se os nossos nomes estão aí.

Ela (lendo):

— "João", "Tiago", "Pedro"...

Ele (lendo):

— "Mateus", "Simão", "Judas"...

— Viu? Nossos nomes não estão aqui. Estamos no lugar errado.

— "Jesus"!

— Que foi?

— Neste cartãozinho. Está escrito "Jesus"!

Lentamente, eles se dão conta do que isto significa. Fazem a volta na mesa, um para cada lado, lendo os cartõezinhos outra vez. Se reencontram no meio da mesa.

— Aí está — diz ele. — Jesus ao lado de Pedro.

Os dois se encaram, de olhos arregalados e boca aberta. Finalmente ele consegue falar.

— As letras...

— Que letras?

— Na cruz. Em cima da cabeça de Jesus Cristo. Não eram...

— RSVP!

Ele toma uma decisão:

— Vamos embora.

— Espera. E se a gente ficasse para...

— Está maluca? Isto aqui acaba mal. Não vamos nos meter nesta confusão.

— Mas...

— Olhe, o jantar vai ser horrível, acredite. Só pão ázimo, vinho barato e conversa de homem. Você seria a única mulher. Iria se sentir deslocada.

— Sim, mas...

— E eles obviamente não estão nos esperando. Pense no vexame.

A mulher se convence. Tudo, menos uma gafe social. Os dois saem furtivamente do palco.

Entrevista

Meu caro: recebi a revista com minha entrevista, que você não quis fazer por e-mail, como eu tinha sugerido, nem com um gravador, como seria prudente. Confiou na sua memória e nas suas anotações e o resultado aí está. Começando já na primeira pergunta, sobre o meu método de trabalho.

Reconheço que não falo com muita clareza, mas definitivamente não, repito não, disse que antes de começar a escrever traçava uns miúdos, o que pode dar a entender que me preparo para o trabalho atacando sexualmente crianças portuguesas. O que eu disse foi que amiúde faço traços no papel, esperando que venha a inspiração. Também não sei de onde você tirou que só escrevo descalço e ouvindo Mozart.

Em outra pergunta, sobre o começo da minha carreira e as leituras que me influenciaram, onde está "corcundas libertários" deveria ser "concursos literários", e onde se lê "Frei Beto" deveria ser "Flaubert". Não me lembro exatamente o que disse sobre o Machado de Assis, mas tenho certeza que não o chamei de "prótese motora". Talvez fosse algo como "protomoderno". Só saberíamos ao certo se você tivesse gravado!

Outra coisa. Sua pergunta sobre escritores brasileiros meus contemporâneos.

Se eu for processado — e no caso do Paulo Coelho certamente serei, depois do que você botou na minha boca sobre ele — farei o possível para que você seja responsabilizado criminalmente. Não entendo como a expressão "fenômeno cultural", a respeito dos novos autores da era da informática, possa ter saído como "fedor monumental". Vou ter que telefonar para vários escritores amigos meus para desmentir o que está na entrevista, antes que mandem me bater.

Você também ouviu errado o nome da minha mulher. Ela ainda não leu a entrevista, mas fatalmente me perguntará sobre essa Lidia que, segundo você, é minha companheira e musa há tantos anos. Vai querer saber onde eu a mantenho escondida.

Meus dados biográficos também saíram errado. Eu não disse que fui adotado com um ano e pouco. Disse que nasci sem cabelo e por isso fui apelidado de "Coco". Na infância não gostava de andar pelado na rua. Gostava de jogar peladas na rua. E não consigo imaginar o que eu falei que levou você a escrever que na adolescência fui sequestrado por um casal de ciganos e levado para a Romênia. Eu deveria ter adivinhado que você entendera errado quando antes de escrever me perguntou se o certo era "Romênia" ou "Rumênia". Também não sei como o senador Demóstenes Torres entrou na minha lista de atores favoritos.

Por fim: eu disse que minha cor preferida era o vermelho. Saiu "azul". Foi o que mais doeu.

Albert Speer fala com as flores

Albert Speer foi o arquiteto de Hitler e o ministro de Armamentos do Terceiro Reich durante a Segunda Guerra Mundial. Foi ele o responsável pela deportação de milhões de pessoas para trabalho escravo na máquina de guerra nazista. Julgado em Nuremberg, foi condenado a vinte anos de prisão. Entrou na prisão de Spandau, em Berlim, com 42 anos e saiu com 61. A prisão era administrada, em rodízio, por militares americanos, ingleses, franceses e russos, na guarda compartilhada de Speer e dos outros prisioneiros.

Durante seu internamento Speer leu, escreveu e cuidou do jardim da prisão, dedicando cada vez mais tempo e atenção às flores e à limpeza dos seus canteiros. Num diário, escreveu: "Anos atrás precisei organizar a minha sobrevivência aqui dentro. Isto não é mais necessário. O jardim se apossou completamente da minha vida."

* * *

Speer foi libertado em setembro de 1966. Pode-se imaginar que no seu último dia de internamento tenha passeado pelo jardim da prisão, dando os últimos retoques nos canteiros que abandonaria no dia seguinte. Talvez tenha até pensado em ficar, ou em pedir licença às autoridades para voltar lá regularmente e continuar seus cuidados. Os americanos dariam boas risadas do seu pedido. Os franceses o achariam poético. Os ingleses o ignorariam. Os russos o negariam.

Speer talvez tenha falado com as flores naquele seu último passeio.

— Adeus, minhas queridas.

— Adeus, doutor.

Não o surpreenderia, ouvir as flores falando. Elas o tinham ajudado a não enlouquecer em Spandau. Era justo que reivindicassem um pouco de loucura, no final, para poderem se despedir do seu benfeitor. Só um pouco.

— Vou sentir saudades de vocês.

— E nós do senhor.

— Fui um bom jardineiro, não fui?

— Um ótimo jardineiro.

— Aproveitei minha experiência como organizador. Este sempre foi o meu forte.

— Deu para notar. Este é, sem dúvida, o jardim mais bem organizado da Europa.

— Arranquei a erva daninha. Adubei quando era necessário. Podei na hora certa. E tudo de acordo com um plano. Com uma visão do que um jardim deveria ser. Uma visão superior. As plantas precisam de alguém com uma visão superior para lhes revelar seu destino. E o resultado aí está. Vocês. O meu orgulho.

— Nós também nos orgulhamos do que o senhor fez.

— Eu sou um homem bom, não sou?

— Um homem maravilhoso.

— Mas, doutor, só nos explique uma coisa. Por que um homem maravilhoso como o senhor ficou vinte anos na prisão?

— Foi um mal-entendido.

— Como assim?

— Nós tínhamos um plano. Um pouco como o meu plano para este jardim. Era isso: nosso plano era que a Europa fosse um jardim como este. Um jardim organizado. Livre da erva daninha do bolchevismo. Adubado com o sangue honrado dos seus mártires e o esterco dos seus inimigos naturais. Podado das raças desnecessárias que ofuscavam sua beleza e atrasavam sua glória. O nosso era um projeto estético. Não foi entendido.

— O senhor era um jardineiro e foi confundido com um monstro.

— Exato. Preferiram dar mais importância à dor passageira de alguns milhões de pessoas do que à estética. Como se arrancar erva daninha fosse um crime! Vocês, não. Vocês se submeteram à minha visão superior, à minha tesoura e à minha espátula, sem dar um "ai".

— Sabíamos que era pela nossa maior glória.

— Vocês me entenderam! Um jardim sem uma visão superior não é um jardim, é uma floresta. É o caos. Eu os salvei da desordem. Infelizmente, não pude fazer o mesmo com o resto da Europa.

— E agora, doutor? O que será de nós?

— Não sei o que farão com vocês. Eu me preocuparia se aparecerem russos com ancinhos. Os russos não têm nenhum senso estético.

— Adeus, doutor.

— Adeus.

A tradutora belga

O escritor ficou surpreso quando soube que seu livro seria traduzido na Bélgica, e preocupadíssimo quando soube que a tradutora do livro iria procurá-lo. Como, procurá-lo? Ela viria ao Brasil, era isso? Quando? Por quê?

A partir do dia em que se confirmou que a tradutora iria procurá-lo o escritor não falou em outra coisa. Dizia aos amigos que não conseguia dormir, pensando na chegada da belga.

— O que essa mulher quer comigo?

E por que vir ao Brasil? Se tinha alguma dúvida sobre o livro, por que não usar o e-mail? Ela usara o e-mail para anunciar que viria. Por que não usar para dizer o que queria?

Aos poucos o escritor foi ficando com raiva. Da tradutora belga, da editora belga, do seu próprio livro. Pra que traduzir aquilo? Era um romancezinho de nada. No Brasil ninguém lera. E ninguém conhecia a tal editora. Por que não o deixavam em paz?

Os amigos argumentavam que era uma boa ser traduzido. Ele passaria a ser conhecido internacionalmente.

— Eu não quero ser conhecido!

E que língua se falava na Bélgica, afinal?

— Francês, no sul. No norte é uma espécie de holandês.

Aquilo só aumentou a irritação do escritor. Ele não sabia nem em que língua seria traduzido. Francês ou uma espécie de holandês? Os e-mails da tradutora eram em inglês. Ela se referira ao livro como "your marvelous book". O que seu livro tinha de maravilhoso? Ela não o entendera, era isso. Ela o interpretara erradamente. Vira símbolos onde não havia símbolos. Mensagens cifradas onde não havia nenhuma. E vinha para descobrir o que ele "realmente" queria dizer com seu livro de nada. Era isso. Olhos nos seus olhos.

A belga vinha para olhar dentro da sua alma. E ele não queria ninguém olhando dentro da sua alma.

O escritor pensou em mandar um e-mail dizendo: "Epidemia de malária. Estou de cama, sem poder receber ninguém. Não venha." Mas desistiu. E resolveu apelar para o seu amigo Romualdo. O Romualdo era dentista e, ao contrário dele, tinha pinta de intelectual. Usava cachecol no inverno e no verão. Fumava cachimbo. Receberia a belga como se fosse o escritor. Desnudaria a sua alma para a belga. E concordaria com todas as suas interpretações.

Romualdo topou. Só pediu que o escritor fizesse um rápido resumo do livro, que ele não lera.

— Eu sei — disse o escritor. — Ninguém leu.

Romualdo e a belga encontraram-se durante uma semana. No apartamento dele, onde a belga estranhou a ausência de livros.

— Não leio nada — explicou Romualdo, no pouco inglês que o cachimbo deixava passar — para não ser mal influenciado.

Quando voltou para casa a belga mandou um e-mail dizendo que adquirira uma perspectiva completamente nova do livro depois de conversar com o autor, principalmente das alusões dentárias, que ela não pegara na primeira leitura. Até hoje o Romualdo se recusa a contar ao escritor o que disse para a tradutora e o escritor só saberá o resultado da conversa dos dois quando ler a tradução belga.

Se não for numa espécie de holandês, claro.

RSVP 2

Ideia para outra peça.
    Uma grande mesa num palco vazio, coberta com uma toalha de linho branco. Pratos, talheres e copos de cristal, longas velas decorativas. Na frente de cada lugar, um cartãozinho com a borda dourada e o nome de quem deve sentar-se ali.
    Da direita entra um mordomo seguido de um casal elegantemente vestido. É evidente que o casal aprova o ambiente. O mordomo anuncia que os outros não demorarão a chegar e pergunta se querem beber alguma coisa.
    — Champanhe — diz o homem.
    — Um Alexander — pede a mulher, e completa, indicando o tamanho com as mãos:
    — Magno.
    A mulher espera o mordomo sair e cochicha, agressivamente, para o marido:
    — Viu só? Somos os primeiros. Você com sua pressa. Nem pude despedir-me adequadamente de Felícia.

— Não sei por que você precisa dizer a Felícia exatamente onde vai estar e deixar o número do telefone. Ela é apenas uma poodle.

— Desta vez nem poderia dizer onde estamos, porque eu mesma não sei. De qualquer forma, graças a você, somos os primeiros.

— Assim poderemos ver quem serão os nossos comensais, antes de eles chegarem. Aqui, por exemplo, vai sentar... Meu Deus. O papa.

— O papa?!

— O papa. De um lado dele o Cristiano Ronaldo e do outro... não pode ser.

— Quem?

— A Wu Yi, vice-primeira-ministra da China.

— Olhe quem vai sentar aqui! O Barack Obama.

— E ao lado dele a baronesa de Rothschild!

— Onde será o meu lugar?

— E o meu? E o meu?

O mordomo entra com as bebidas numa bandeja e os dois disfarçam e interrompem sua frenética leitura dos cartõezinhos. Quando o mordomo sai eles retomam a busca, depois de jogar as bebidas longe.

— Aqui estou eu — grita ele — entre a Maria Sharapova e a Ângela Merkel.

— E eu estou entre o Mick Jagger e... Não!

— Quem?

— O Hugo Chávez! O que você está fazendo?

— Estou rearrumando os cartõezinhos. O Barack fica aqui, entre a Maria Sharapova e a Ângela Merkel e eu vou para o lado da baronesa de Rothschild, que pode ser melhor para a minha carreira. Quem disse que a gente não pode determinar o próprio destino? É só mudar os cartõezinhos!

— Não pode. Lembra o que dizia no convite? RSVP. Quer dizer "Restez sur votre place". Fique no seu lugar.

— Tem certeza?

— Não, mas você não vê? Nosso anfitrião deve ter um plano para nós, por isso nos reuniu aqui e nos botou nestes lugares. Temos que respeitar o plano dele, seja qual for.

— Mas quem é o nosso anfitrião?

Não é um anfitrião, é uma anfitriã. Uma enorme aranha que entra no palco e se dirige para o homem, para comê-lo. É uma armadilha. Um banquete de primeira classe para a grande aranha. Desesperada, a mulher começa a gritar "RSVP! RSVP!", que, claro, significa "Réspondez s'il vous plaît!", responda por favor, não faz qualquer sentido no contexto e não detém a aranha.

Quer dizer: é sempre importante ter uma mínima noção de etiqueta.

Poetas

No começo do século passado, num dos seus primeiros poemas publicados — *A Canção de Amor de J. Alfred Prufrock* —, T. S. Eliot escreveu:

"Vamos, então, você e eu,
Quando a noite estiver estendida contra o céu
Como um paciente anestesiado numa mesa..."

A noite comparada a um paciente estendido numa mesa! Alguma coisa estava sendo inaugurada na poesia com o símile surpreendente. Uma nova liberdade. As comparações não precisavam mais ser exatas — nada numa noite estendida contra o céu lembra um corpo estendido sobre uma mesa. Os símiles estavam livres para serem insólitos, quanto mais insólitos melhor. Não seria exagero dizer que Eliot deve sua notoriedade instantânea a este início revolucionário. No resto do poema há comparações perfeitamente apropriadas. "A neblina amarela que esfrega as costas nas vidraças" e mete sua língua nos cantos da noite lembra um gato, por exemplo. Mas foi o paciente anestesiado que alvoroçou o pessoal.

Muitos anos mais tarde outro poeta fez coisa parecida. Mas quando o Aldir Blanc escreveu que a tarde caía feito um viaduto não estava sendo tão abstrato quanto Eliot. Na época em que escreveu *O bêbado e o equilibrista* com o João Bosco, a queda daquele viaduto, no Rio — pela qual, claro, ninguém nunca foi culpado —, era coisa recente. A tarde cadente lembrando um viaduto desmoronando do Aldir estava num contexto real, o céu lembrando um corpo do Eliot num contexto puramente poético. Mas em matéria de símiles insólitos, deu empate.

* * *

Está no mesmo poema do Prufrock a segunda imagem mais lembrada de Eliot:

"I should have been a pair of ragged claws
Scuttling across the floors of silent seas."

Isto é:

"Eu deveria ter sido um par de garras serrilhadas
Escapulindo pelo chão de mares silenciosos."

(Não sei como os tradutores do Eliot para o português traduziram "scuttling". Preferi "escapulindo", que é inexato mas dá a ideia do movimento rápido daquelas garras pelo fundo do mar. "Perfurando o chão de mares silenciosos" é mais inexato ainda, mas talvez desse uma ideia melhor. Perfeito, mesmo, é o "scuttling" do original. Seja qual for sua tradução correta.)

* * *

Para o caso de ser necessário um desempate entre os poetas, qual seria o equivalente em Eliot da ponta torturante de um band-aid no calcanhar, do Blanc, "the excrutiating tip of a band-aid in her ankle"? Suspeita-se que não existam band-aids espiando da borda de sapatos altos no universo de Eliot, que era um falso inglês. Dizem que os falsos são os mais ingleses de todos.

* * *

Silêncio. De um poema de W. B. Yeats, sobre a véspera de uma batalha:

"Nosso mestre César está na tenda
Onde se estudam os mapas.
Seus olhos fixados em nada,
Uma das mãos sob a cabeça.
Como uma mosca de pernas longas num riacho
Sua mente se desloca sobre o silêncio."

Não sei por que, gostei da imagem. A mente de César se movendo sobre o silêncio como uma mosca na superfície da água. O silêncio como conselheiro, estrategista e tranquilizador. A única coisa a ser ouvida antes de uma batalha, e percorrido como um riacho. Que batalha era, e qual foi seu resultado, o poeta não especifica.

* * *

Frases. Uma vez inventei uma epígrafe para um romance, "Todo desejo é um desejo de morte", e identifiquei a frase como um possível adágio japonês. Descobri depois que Nietzsche tinha escrito "alle Lust will Ewigkeit", todo desejo busca a eternidade, num poema. A semelhança não é suficiente para justificar uma acusação de pré-plágio a Nietzche, mas gostei de descobri-la. Minha frase não queria dizer nada. A do Nietzsche, claro, é profundíssima.

A lógica

Hoje, o Apostador reconhece que deveria ter desconfiado do homenzinho que lhe vendeu a máquina do tempo. Na hora, ele só pensara na vantagem que teria um apostador que fosse transportado para o futuro e pudesse ler, nos jornais, o resultado da loteria, o azarão que dera no jóquei, a zebra que dera no futebol. Com a máquina do tempo ele poderia acertar a Sena todas as semanas! Era vantagem demais. Ele deveria ter desconfiado.

O homenzinho também vendia pomadas afrodisíacas que deixavam qualquer homem irresistível às mulheres, pinturas do Van Gogh autênticas com selo de garantia, camisas Lacoste tão falsas que o jacarezinho aparecia piscando um olho — mas o Apostador não desconfiara. Estava tão animado com a perspectiva de só apostar no certo que comprara a máquina do tempo sem pensar. Depois, para se justificar, o Apostador disse:

— Na verdade, apostei que a máquina funcionaria.

A máquina não funcionou. Ou funcionou, mas não como o homenzinho prometera e o Apostador esperava. Quando o Apostador entrou na máquina e apertou o botão que o transportaria no tempo, ouviu um estrondo e quando viu estava não no futuro, mas no passado. Nos tempos bíblicos. Notou que eram bíblicos porque havia muita poeira e todo o mundo falava engraçado.

— E para o cúmulo do azar — contou — caí no meio de uma batalha.

— De uma batalha?

— É. Lá estava eu num campo de batalha, entre dois exércitos prontos para lutar. Um liderado por um gigante, outro por um garoto.

— O que você fez?

— Me misturei com a torcida para assistir.

No meio da torcida o Apostador não demorara a encontrar pessoas dispostas a apostar.

— Mas aceitaram o seu dinheiro?

— Como não conheciam o real, achavam que valia alguma coisa. Aceitaram.

— Que sorte! Foi como se você tivesse caído no Maracanã, antes de começar a final da Copa de 50. Com a informação que tinha, era só apostar no Uruguai e você também ficaria milionário.

— Eu não fiquei milionário. Perdi tudo.

— Mas como?

— Resolveram que a batalha seria decidida num duelo entre os líderes dos dois exércitos. O gigante contra o garoto. O gigante armado até os dentes e o garoto só com um estilingue. Apostei no gigante, claro.

— O quê? Você apostou no Golias contra o Davi?!

Então o Apostador deu um tapa na testa e exclamou:

— Davi e Golias! Como foi que eu não me lembrei?

Apostara na lógica e perdera tudo.

Mas, filosofou o Apostador, fora melhor assim. Se ganhasse a aposta seria pago com mirra, incenso e 117 ovelhas, que não caberiam na máquina.

O triunfo

O grupo almoçava junto todas as quartas-feiras. Normalmente era a Cidinha quem chegava com a maior novidade ("Meninas, vocês nem imaginam...") sobre um dos seus casos, mas desta vez foi a Maura. E a novidade da Maura era a seguinte: estava namorando um vampiro.

A primeira reação foi da Cidinha.

— Conta outra.

As outras pediram detalhes. Como, vampiro? Onde tinham se conhecido? Quando? A Maura tinha certeza de que era um vampiro? Ele já mostrara os dentes?

— Certeza, certeza não tenho — disse a Maura. — Desconfio.

E não, o Ramão (o nome dele era Ramão) ainda não mostrara os dentes. O namoro estava recém começando. O Ramão ainda nem pegara na sua mão.

— Vampiro... — disse a Cidinha, com desdém. E repetiu: — Conta outra.

Mas o resto do grupo estava interessado. O que fazia a Maura desconfiar de que Ramão fosse um vampiro?

— Para começar ele é extremamente pálido. Branco como uma porta.

A comparação causou uma ligeira estranheza. Branco como uma porta? A Maura corrigiu. Queria dizer branco como uma porta branca.

— Grande coisa — disse a Cidinha. — Eu namorei um lituano anêmico que...

Mas ninguém queria saber do lituano anêmico da Cidinha. Queriam saber mais sobre o vampiro da Maura. Conta, Maura!

— Ele me disse que só sai da cama quando o sol se põe. Que passa a noite inteira acordado.

— Vocês se conheceram de noite?

— Num bar. Ele estava todo de preto. Aliás, só usa preto. Começamos a conversar...

— Sobre o quê?

— Generalidades. Ele é muito culto. Gosta muito de arte.

— Ih. Gay — disse a Cidinha.

Não, Ramão não era gay. Era sensível mas másculo. Haviam se encontrado diversas vezes, no bar. Estavam, tecnicamente, namorando, embora ainda não tivessem se tocado. Mas isso mudaria naquele sábado. Ele a convidara para conhecer seu apartamento naquele sábado. Ele cozinharia. Ela levaria o pão. Ele só especificara: nada com alho.

A Cidinha perguntou: então é só isso? O cara é pálido e não gosta de alho, e por isso é vampiro? A Maura estava lendo livros de vampiro demais. E onde se vira, vampiro no Brasil? Vampiro era coisa de culturas avançadas. De anos de civilização... Mas no almoço de quarta-feira seguinte a Maura apareceu com duas marcas de dentes no pescoço. E só depois de muita insistência das outras para que contasse como tinha sido, disse, com os olhos brilhando:

— Meninas, vocês nem imaginam...

* * *

Claro que um exame mais atento poderia revelar que as marcas de dentes no pescoço tinham sido feitas por qualquer objeto pontiagudo, em vez dos caninos de um vampiro, mas ninguém do grupo quis estragar o triunfo da Maura sobre a Cidinha.

Don Juan e a Morte

Quando a mulher revelou que era a Morte e que viera buscá-lo, Don Juan não pulou da cama nem tentou fugir. Apenas sorriu e disse:

— Eu deveria ter desconfiado.

— Por quê? — perguntou a Morte.

— Porque nenhuma mulher tão linda se entregaria a mim tão facilmente, se não fosse uma armadilha.

— Mas você não é um sedutor famoso? Um homem irresistível?

— Sim, mas na minha experiência, quanto mais linda a mulher, mais difícil a sedução. E com você não precisei usar nenhum dos meus truques. Nem meu olhar de desatar espartilhos, nem os versos que orvalham o portal do amor antes mesmo do meu primeiro toque... Você é a mulher mais bonita que já conheci, mas bastou dizer "vem" e você veio. Eu deveria ter desconfiado.

— Eu talvez tenha me precipitado, ao ceder tão facilmente. Gostaria de ouvir seus versos, que também são famosos. Se eu tivesse resistido um pouco mais...

— Pois é. Agora é tarde.

— O que você diria da minha beleza, se fosse obrigado a recorrer à poesia para me trazer pra cama?

— Bem. Assim, de improviso... Ainda mais depois de saber da minha morte iminente...

— Tente.

— Eu começaria elogiando o seu porte heráldico. Compararia a brancura da sua pele às primeiras neves, quando os cristais ainda reluzem, e o rego dos seus seios ao estreito de Gibraltar, onde dois continentes portentosos se roçam. Comentaria as estrias roxas do seu cabelo e... e...

— Que foi? Por que parou?

— Acabo de me dar conta. Está explicado por que nos amamos em todas as posições possíveis, inclusive algumas que eu mesmo inventei, sem que eu ouvisse um "ui" da sua boca. Um mísero "ui". Você manteve-se fria o tempo todo. Claro! Onde se viu a Morte gozar?

— Desculpe, eu...

— Não se desculpe. Você não vê? Isto redime a minha masculinidade. Pensei que tivesse perdido meu jeito de satisfazer as mulheres, que nunca tinha falhado antes. Mas não era eu. Era você. Você só estava aqui a serviço, não para se divertir.

— Não deixou de ser agradável.

— Obrigado, mas não precisa mentir. Vou morrer feliz, sabendo que não falhei. E o irônico é que passei a vida inteira seduzindo mulheres para adiar a velhice, enganar o tempo e protelar a morte, e ela, a Morte, você, me aparece assim. Na forma da mulher mais bonita que já conheci. Olhos como lagos fosforescentes, pescoço como a coluna de mármore de Amastar, onde peregrinos encostavam a testa para rejuvenescer; tornozelos como...

— Não quero interromper, mas acho que deveríamos partir.

— Certo, certo. E se a gente desse mais uma, rapidinha, só para eu me lembrar depois? Ouvi dizer que, no céu, o canto coral substitui o sexo e no inferno é só com um cabrito.
— Não é uma boa ideia. Vamos?
— (Suspiro) Vamos.

Antigas namoradas

— Gugu! — exclamou o Plinio.

A mulher pensou: pronto. O Plinio ficou gagá. Só estava esperando se aposentar para ficar gagá. Senilidade instantânea. Não perdeu tempo. O Plinio continuou:

— Que coisa. Como eu fui me esquecer dela?

— Quem?

— A minha primeira namorada. Maria Augusta. Gugu. Nós tínhamos doze anos. O primeiro beijo na boca. Uma vez combinamos que um ia sonhar com o outro. Seria um sonho só.

— E sonharam?

— Claro que não. Mas mentimos que sim. Depois veio a... a... Sulamita!

— Você namorou uma Sulamita?!

— Espera. Preciso fazer uma lista.

Plinio saiu atrás de papel e caneta. Pronto, pensou a mulher. O Plinio encontrou uma ocupação.

— Vamos ver. Sulamita. Primeiro beijo de língua. Primeira mão no peito. Mas só por fora. Ela não queria fazer mais nada. Meu Deus, as negociações! As intermináveis negociações. Deixa. Não deixo. Pega aqui. Eu não. Só um pouquinho. Não. Sexo, sexo mesmo, ou uma simulação razoável, foi só com a seguinte, que se chamava... Não. Antes do sexo teve um anjo. A Liselote. Loira, magra, alta. Pele de alabastro. O que é mesmo alabastro?

— Não sei, acho que é uma espécie de...

— Não importa. A pele da Liselote era de alabastro. Namoramos durante anos. Fizemos um pacto suicida mas eu levei tanto tempo para escrever o bilhete que ela achou que era má vontade e o namoro acabou. Depois da Liselote, então, veio o sexo animal! Com a, a... Como era o nome dela? Marina. Não, Regina. Cristina. Isso, Cristina. Ficamos noivos. Um dia ela me viu descascando uma laranja e teve uma crise. Por alguma razão, o meu jeito de descascar uma laranja desencadeou uma crise. Ela disse que não podia se imaginar casada comigo, com alguém que descascava laranja daquele jeito. Mandaram ela para a Europa, para ver se ela se recuperava. Nem sei se foi laranja. Alguma coisa que eu fazia. Depois dela, deixa ver... Mercedes. A boliviana. Baixinha. Grandes seios. Vivia cantarolando. Não parava de cantarolar. Um dia eu reclamei e ela atirou um vaso na minha cabeça. Depois, depois...

— Não teve uma Isis?

— Isis! Claro. Eu falei da Isis pra você? Era corretora de imóveis. Bem mais velha do que eu. Foi quem me ajudou a escolher o escritório. Não chegou a ser namoro. Fizemos sexo de pé em várias salas vazias da cidade, e ela nunca chegou a tirar o vestido. Grande Isis... Olha aí, até que não foram muitas. Gugu, Sulamita, Liselote, Cristina, Mercedes a boliviana... Ah, teve uma, eu já contei? Uma que miava quando a gente estava na cama. Miava! Me chamava de "Meu gatão", toda melosa, e miava. Já pensou, o ridículo? Como era o nome dela?

— Era eu, Plinio.

— O quê? Não. O que é isso?

— Era eu.

— Não era, não. Que absurdo. Nós, inclusive, não transamos antes de casar.

— Transamos, namoramos, e eu miava porque você pedia.

— Era outra pessoa.

— Era eu, Plinio. Bota o meu nome na sua lista.

— Não. Nem sei por que eu comecei esta bobagem...

— E quer saber de uma coisa? Não é o seu modo de descascar laranja, Plinio. É o seu modo de chupar laranja. A Cristina tinha razão. Não sei como eu aguentei todos estes anos. A Cristina tinha razão!

Perdedor, vencedor

O perdedor cumprimentou o vencedor. Apertaram-se as mãos por cima da rede. Depois foram para o vestiário, lado a lado. No vestiário, enquanto tiravam a roupa, o perdedor apontou para a raquete do outro e comentou, sorrindo:

— Também, com essa raquete...

Era uma raquete importada, último tipo. Muito melhor do que a do perdedor. O vencedor também sorriu, mas não disse nada. Começou a descalçar os tênis. O perdedor comentou, ainda sorrindo:

— Também, com esses tênis...

O vencedor quieto. Também sorrindo. Os dois ficaram nus e entraram no chuveiro. O perdedor examinou o vencedor e comentou:

— Também, com esse físico...

O vencedor perdeu a paciência.

— Olha aqui — disse. — Você poderia ter um físico igual ao meu, se se cuidasse. Se perdesse essa barriga. Você tem dinheiro, senão não seria sócio deste clube. Pode comprar uma raquete igual à minha e tênis melhores do que os meus. Mas sabe de uma coisa? Não é equipamento que ganha jogo. É a pessoa. É a aplicação, a vontade de vencer, a atitude. E você não tem uma atitude de vencedor. Prefere atribuir sua derrota à minha raquete, aos meus tênis, ao meu físico, a tudo menos a você mesmo. Se parasse de admirar tudo que é meu e mudasse de atitude, você também poderia ser um vencedor, apesar dessa barriga.

O perdedor ficou em silêncio por alguns segundos, depois disse:

— Também, com essa linha de raciocínio...

Tea

Lady Millicent recebe suas amigas Agatha, Pamela e Fiona para chá na sua casa em Mayfair. O mordomo traz uma bandeja com o bule, as xícaras, o açucareiro, leite, rodelas de limão, sanduíches finos de pepino, scones e creme. Lady Millicent oferece:

MILLICENT — Tea?
TODAS — Yes. Oh yes. Lovely.
MILLICENT (servindo Agatha) — E pensar que quase ficamos sem chá...
AGATHA (assustando-se e quase derrubando a xicara) — O quê?!
MILLICENT — Vocês não souberam? Os plantadores de chá da Índia estiveram perto da falência.
PAMELA — O *Times* não deu nada!
MILLICENT — Foi há muito tempo. A Índia ainda era nossa. Destruímos a sua indústria de tecidos, para não competirem com a indústria inglesa, e a Índia teve que se dedicar exclusivamente à agricultura. Incentivamos os nativos a plantar chá, para nós, e ópio, para a China.

FIONA (tapando o riso malicioso com a pontas dos dedos) — Imaginem se fosse o contrário. O que você estaria nos servindo hoje, Millicent?

AGATHA — Cale-se, Fiona. Millicent, não nos deixe em suspense. O que aconteceu com os agricultores da Índia à beira da falência? Só a ideia de ficar sem chá...

MILLICENT — Foram salvos pela Coroa inglesa.

FIONA — Mas Margaret Thatcher não era contra os subsídios que premiavam a ineficiência?

AGATHA — Fiona, acho que vamos ter que jogá-la pela janela. A Coroa inglesa, na época, não era Margaret Thatcher. Era a Rainha Victoria, ou alguém parecido. Continue, Millicent.

MILLICENT — A agricultura da Índia quase faliu porque a China não queria comprar mais ópio.

PAMELA — Meu Deus, por quê?

MILLICENT — Preconceito. Estavam morrendo chineses demais. Ou alguma outra exótica razão oriental. O fato é que a Coroa forçou a China a aceitar o ópio da Índia. Foi lá, matou alguns milhares de chineses e acabou com a rebelião. Os chineses concordaram em continuar comprando ópio da Índia, que pode continuar produzindo o nosso chá. Como se sabe, não há nada para convencer as pessoas das vantagens do comércio livre como uma canhoneira, ou duas.

AGATHA (hesitando, antes de dar o primeiro gole) — Quantos chineses morreram, Millicent?

MILLICENT — Entre os que morreram das canhoneiras e os que morreram do ópio, alguns poucos milhões. Por que, Agatha querida?

AGATHA — Quero ter certeza que não tem nenhum chinês morto na minha xícara.

MILLICENT — Ora, Agatha. Com todos os goles de chá que os ingleses tomaram desde então, nossa conta de mortos na China foi saldada há muito. Não há mais chineses mortos em nosso chá.

AGATHA (tomando o primeiro gole) — Ainda bem. Sei que me fariam mal.

MILLICENT (para Pamela) — Açúcar?

PAMELA — Obrigada. Não dispenso o açúcar. Não sei como as pessoas podiam viver sem açúcar.

FIONA — Mas alguma vez não existiu açúcar?

MILLICENT — Aqui mesmo, na Inglaterra, durante muito tempo, não existia o açúcar.

FIONA — Nem para o chá?!

MILLICENT — Principalmente para o chá. Foi para assegurar o suprimento de açúcar para o chá, depois que tomamos gosto, que a cultura da cana cresceu no Novo Mundo. E foi para a cultura da cana crescer que importaram escravos da África. Pode-se dizer que a escravatura se deve ao gosto por chá com açúcar.

FIONA — De certa maneira, então, a escravatura é culpa da Pamela.

AGATHA — Por favor, Fiona. Quantos negros, Millicent?

MILLICENT — Você quer dizer, quantos negros morreram de maus-tratos e doenças para que houvesse açúcar para o nosso chá? É difícil dizer. Alguns milhões. Por que, Agatha querida?

AGATHA (continuando a tomar seu chá) — Por nada. Prefiro o meu sem açúcar.

MILLICENT (para Fiona) — Scones?

FIONA (hesitando antes de pegar um scone) — Você tem alguma história sobre os scones para contar, Millicent?

MILLICENT — Nenhuma, Fiona.

FIONA — Ninguém morreu para que existissem estes scones?
MILLICENT — Que ideia, Fiona. Eu mesma os fiz, e não há uma gota de sangue na minha cozinha.

O natural

"O homem é naturalmente polígamo" foi a tese que o Oscar propôs aos casais de amigos, depois do churrasco e de muitas cervejas na casa do Remi e da Luciene.

— Ah é, Oscar? — disse Maria Helena, sua mulher.

Todos riram, alguém disse "Iiih", outro disse "sai dessa, Oscar", e o Oscar se apressou a explicar que estava falando em tese, não defendendo a poligamia legal, muito menos o harém particular. Mas de acordo com sua tese, todos os monógamos ali viviam em conflito com a Natureza. A mulher era naturalmente monógama. O homem não.

— Rá! — disse a Luciene.

— Como, "rá"? — perguntou o Oscar.

— Você acha, então, que o instinto sexual é o que determina o que é natural ou não?

As risadas tinham parado com o "rá". Agora estavam todos prestando atenção.

Afinal, era uma questão científica. O Oscar pensou na resposta, girando a cerveja no copo. Depois de alguns segundos, disse:

— Acho.

— Natureza é sexo?

— Não, mas é a nossa natureza sexual que determina o nosso comportamento. Ou devia determinar. Nossa cultura monógama é antinatural.

A Luciene tinha bebido demais. Normalmente, quase não falava. Agora estava de pé, nariz a nariz com o Oscar.

— O homem está no seu apogeu sexual aos 17 anos de idade, certo?

Oscar concedeu o ponto. Certo.

— A mulher, aos 35. Certo?

Oscar abanou a cabeça, querendo dizer sim, não, talvez, mas... Luciene insistiu.

— Está provado. É científico. O macho aos 17, a fêmea aos 35. Segundo a sua tese, o único casal natural, o único casal de acordo com a natureza, seria um homem de 17 e uma mulher de 35.

Luciene não disse "como eu" mas foi o que todo mundo ficou pensando. Luciene estava com 35 e Remi estava mais perto dos 70 do que dos 17.

— Todos nós somos antinaturais, está entendendo? Todos os nossos casamentos estão errados!

Julhinha decidiu intervir na conversa.

— Alguém quer mais rocambole?

* * *

Em casa, a Maria Helena cobrou do Oscar.

— Tinha que começar aquela conversa?

— Era puramente teórico, Leleninha!

E concordaram que o Remi precisava pensar menos nos seus churrascos e mais no seu casamento com a Luciene. O Remi colecionava espetos e os guardava em ordem, pelo tamanho. Aquilo sim, não era natural.

A tática da bolsa

A Jussara estava a fim de um cara e bolou um plano para conhecê-lo. Ou para ele a conhecer. Um plano minucioso, que descreveu para as amigas como se fosse uma operação militar. Em vez de conquistar um reduto inimigo, Jussara conquistaria o cara, que se renderia ao seu ataque. Ela acreditava que, no amor como na guerra, audácia era tudo.

Jussara sabia que José Henrique — o nome do cara era José Henrique — tinha dinheiro e não tinha namorada firme, duas precondições para seu plano valer a pena. Era bonito, era um intelectual (andava sempre com um livro embaixo do braço) e tinha hábitos regulares. Todos os dias saía do trabalho e sentava-se numa mesa de bar, sempre a mesma mesa, para comer uma empada e tomar uma cerveja (só uma, e ele não fumava nem tinha qualquer outro vício aparente) antes de ir pegar seu carro num estacionamento próximo. Geralmente bebia sozinho e ia direto para casa, onde morava com a mãe viúva.

O ataque, de acordo com a melhor tática militar, deveria ser de surpresa. Mas surpreendente apenas o bastante para ser inesquecível sem assustar o cara. A ideia da Jussara era que, no primeiro contato, ele já descobrisse tudo sobre ela. O que ele faria com esta informação dependeria do que viesse depois. Ou, como disse a Jussara, "dos desdobramentos". Mas no primeiro instante ele teria que saber tudo a seu respeito. Como conseguir isto?

Com a bolsa. As amigas se entreolharam. Com a bolsa? Com a bolsa. Jussara entraria no bar remexendo na sua bolsa, fingindo procurar alguma coisa com tanta concentração que esqueceria de olhar para a frente, e esbarraria no José Henrique, derramando todo o conteúdo da bolsa na mesa à sua frente, ou no chão ao seu lado.

— E o conteúdo da bolsa dirá tudo que ele precisa saber a meu respeito, entendem? Serei eu dentro da bolsa. Tudo que eu sou, tudo que eu gosto. Ele vai me ajudar a colocar as coisas de volta dentro da bolsa e em poucos minutos conhecerá minha alma e minha biografia.

Jussara já sabia o que colocaria dentro da bolsa. Um bonequinho de pelúcia que certamente enterneceria o cara, mostrando seu coração bom e algo infantil. Envelopes com sementes, mostrando sua preocupação com o meio ambiente. E um livro, para ele saber que ela também lia. Mas precisava decidir: que livro? Estava aceitando sugestões. Poesia? Martha Medeiros? Karl Marx? *Pornopopeia*? *O pequeno príncipe*? Qual faria maior efeito? Escolheram um Saramago, desde que não fosse muito pesado.

* * *

E o encontro se deu. Todo o conteúdo da bolsa da Jussara caiu na frente do cara, que ajudou a botá-lo de volta, como previsto. Mas ele nem notou o livro e as outras coisas. Pegou um estojo de maquiagem da Jussara e disse:

— Eu uso o mesmo blush!

* * *

A Jussara culpa seu fracasso numa falha que costuma frustrar as operações militares: reconhecimento insuficiente do terreno.
— Faltou pesquisa — lamenta.

A ponta do queixo

— O Ju é incapaz de matar uma mosca — dizia a Marinei do seu marido Juvenal.

Não era elogio. Não era atestado da boa índole do Juvenal. Era crítica. Na última vez que tentara matar uma mosca com um jornal enrolado o Juvenal quebrara um vaso que ela amava. E a mosca sobrevivera.

— Esse daí é uma plasta — dizia a Marinei, indicando o Juvenal com a ponta do queixo.

O que mais magoava o Juvenal era a ponta do queixo. O "esse daí" ele ainda aguentava. Depois de 15 anos de casamento, o "esse daí" era inevitável. O que doía mesmo era a ponta do queixo. Ele não merecia mais nem ser apontado com um dedo.

Ele pedia:

— Pare de me criticar em público, Marinei.

— Por quê? Nossos amigos todos sabem que você é uma plasta mesmo.

— Você não imagina do que eu sou capaz, Marinei.
— Imagino sim, Ju. Você é capaz de nada. Na-da.

Aquilo também magoava. "Nada" com as sílabas separadas. Aquilo doía. A Marinei ia ver.

Um dia, num bar, os dois numa mesa de quatro, veio um moço e sentou-se numa das cadeiras livres. E perguntou se a Marinei estava com alguém.

— Estou com ele — disse a Marinei, indicando o Juvenal com a ponta do queixo.

— Eu falei "alguém" — disse o moço.

O Juvenal pulou do seu lugar, pegou o moço pela frente da camisa e o arrastou até a entrada do bar, sob tabefes. Atirou-o na calçada e ainda o despachou com um pontapé na bunda. (Depois, quando Juvenal e o moço se encontraram para acertar as contas, o moço se queixou. O pontapé na bunda não tinha sido combinado. O pontapé na bunda era desnecessário.) De volta à mesa, Juvenal encontrou a Marinei de olhos arregalados.

— Ju!

Ela não disse "Meu herói!". Mas seus olhos disseram.

Mas 15 anos de desdém são 15 anos de desdém e os velhos hábitos morrem devagar, e bastou o Juvenal errar outra mosca com o jornal enrolado e quebrar o vidro da cristaleira para a Marinei chamá-lo de pamonha, paspalhão, imprestável, desastrado e, na frente dos amigos, apontá-lo com o queixo e dizer "sabem o que esse daí andou aprontando desta vez?".

— Eu faço uma loucura, Marinei.
— Faz nada. Na-da.
— Olha que eu faço uma loucura!
— Que loucura? Que loucura?

Juvenal pensou na coisa mais louca que poderia fazer para impressionar a Marinei. Incapaz de matar uma mosca? Uma plasta? Ela ia ver do que ele era capaz. Iria matá-la. Era isso! A perseguiria como a uma mosca, com um ferro dentro de um jornal enrolado, e a mataria. Tudo para ver de novo a admiração em seus olhos.

Em tempo: Juvenal não conseguiu matar a Marinei, mas demoliu a casa tentando.

Teatrinho

Mauro e Mel eram casados. Faziam teatro e, para ajudar no orçamento, se apresentavam em festas de crianças. Levavam um pequeno palco e um elenco de fantoches para manipular: Chapeuzinho Vermelho, Lobo Mau, etc. Não ganhavam muito com isto, mas sempre ajudava. Convites para apresentações não faltavam. O teatrinho para crianças estava indo bem. O que não estava indo muito bem era o casamento dos dois.

* * *

Aquele dia já tinha começado mal. O Mauro amargurado, se queixando da vida e da falta de oportunidade para fazer teatro de verdade. Afinal, era um ator formado, não podia passar o resto da vida fazendo teatro de fantoches. A Mel, cansada das lamúrias do Mauro, rebatendo que os fantoches pelo menos pagavam as contas, e não deixavam de ser teatro. Os dois tinham brigado desde o café da manhã, e continuaram brigando no carro, a caminho da festa de aniversário onde se apresentariam àquela tarde. E só não continuaram brigando enquanto montavam o palco porque a plateia já começava a ocupar seus lugares, as crianças maiores no chão, as menores no colo das mães, num clima de grande expectativa.

* * *

Chapeuzinho Vermelho apresentava o espetáculo.
— Alô, amiguinhos! Meu nome é Chapeuzinho Vermelho e...
A cabeça do Lobo Mau apareceu num canto do palco.
— Chapeuzinho... Isso lá é nome?
Chapeuzinho (depois de um segundo de hesitação):
— Ih, o Lobo Mau já quer entrar na história. Ainda não é a sua vez, Lobo Mau. Vá embora e espere a sua deixa.
Lobo Mau:
— Lobo Mau... Isso não é um nome, é uma sentença. Eu não sou intrinsecamente mau. Posso decidir ser mau, ou não. A existência precede a essência, segundo Sartre. É a velha questão, to be or not to be.
Chapeuzinho:
— Amiguinhos, vamos dar uma vaia no Lobo Mau para ele ir embora e esperar sua vez? Vamos lá, todo mundo... Buuuuuu!
As crianças vaiaram o Lobo Mau, que desapareceu.

* * *

Chapeuzinho:
— Meu nome é Chapeuzinho Vermelho, e eu estou levando estes doces para a vovozinha. Será que esta floresta é perigosa? Será que eu vou encontrar um...

Aparece o Lobo Mau.

Chapeuzinho:

— Lobo Mau!

Lobo Mau:

— Em pessoa. Mas você, também, está pedindo, hein, beibi? Sozinha desse jeito no meio de uma floresta escura... Você não lê jornal, não?

Chapeuzinho:

— Eu...eu... Eu estou levando estes doces para a vovozinha.

Lobo Mau:

— E como é que essa vovozinha mora no meio da floresta, em vez de num condomínio fechado? Me dá esses doces.

Chapeuzinho:

— Não! Por que você quer os doces da vovozinha?!

Lobo Mau:

— Para a sobremesa, depois de comer você.

Chapeuzinho:

— Você esqueceu? Na história, você primeiro tem que ir até a casa da vovozinha, comer a vovozinha, vestir a camisola dela e me esperar deitado na cama.

Lobo Mau:

— Esta é uma versão condensada, sem o travestismo. Prepare-se para morrer!

Chapeuzinho (correndo de cena):

— Não! Vou chamar o caçador. Socorro!

Sozinho no palco, o Lobo Mau dirigiu-se à plateia:

— Amiguinhos, desculpem-me. Vocês não têm nada com isso. É uma crise pessoal, entendem? Eu não sou mau. Aliás, não sou nem lobo. Sou um ator. Antes disso, sou um ser humano. Perguntem à mamãe o que é isso. É uma coisa complicada, é...

Entrou em cena o caçador, carregando uma espingarda, que apontou para o Lobo Mau.

Caçador:

— Pare!

Lobo Mau:

— Você interrompeu meu solilóquio, pô.

Caçador:

— Mãos ao alto!

Lobo Mau:

— Está bem, atire. Atire! Vamos acabar logo com isto. Aqui está o meu peito. Mire no coração, que não tem mais serventia. Atire, Mel!

Caçador (fazendo o som do disparo):

— Pum!

O Lobo Mau caiu para a frente, quase despencando do palco. Silêncio na plateia. Depois começaram as vaias — "Buuuuu" —, não se sabe se para o desfecho abrupto da versão abreviada, para o fim do Lobo Mau ou para a condição humana. E depois começou a chuva de brigadeiros contra o palco.

Bebel

A Bebel era um problema. Aos dezoito anos tinha participado pela primeira vez de uma reunião da holding da família. Herdara ações do avô, um dos fundadores da empresa que depois se transformara num conglomerado, e com elas o direito de votar em todas as decisões da diretoria. Naquela primeira reunião ela fora saudada carinhosamente pelo patriarca da família e presidente do conglomerado, seu tio-avô.

— A partir de hoje, a Bebelzinha vai participar das nossas reuniões. Você quer dizer alguma coisa, querida?

E a Bebel dissera o seguinte:

— Toda propriedade é um roubo.

Grande consternação familiar. Sorrisos incrédulos. Troca de olhares atônitos. O que aquela menina estava lendo? Com quem andava? O que era aquilo? O patriarca, depois de se recuperar de um acesso de tosse causado pelo choque, perguntou se ela tinha alguma sugestão sobre como administrar as empresas do grupo de acordo com sua premissa. Bebel passou então a expor um plano que incluía entregar a gestão das empresas aos empregados e concluiu instando todos ali a se engajarem na luta do proletariado contra o capital espoliador. Nas reuniões seguintes o patriarca cuidou para jamais dar a palavra à Bebel mesmo quando ela subia na mesa, sapateava e exigia ser ouvida. Mas não foram poucas as vezes em que os votos da Bebel atrapalharam, ou pelo menos retardaram, decisões importantes do grupo, com a consequente perda de dinheiro. Se dependesse dela, Bebel solaparia o capitalismo por dentro.

Mas um dia a Bebel anunciou que tinha se casado e exigiu que o marido, Valfredo, participasse das reuniões ao seu lado, para orientá-la e expor algumas das suas ideias sobre estratégia empresarial. O marido tinha "Pilantra" tatuado na testa, ou só faltava isto. Quando perguntavam qual era sua atividade principal, respondia "Transações". Às vezes em inglês: "Transitions." Bebel, apaixonada, fazia tudo que ele mandava. Convertera-se ao capitalismo mais desenfreado, para ganhar mais e poder oferecer a Valfredo os meios para manter o que ele chamava de "meu padrão de vida", ou "my padron of life". Valfredo conturbou várias reuniões da holding até que um dia desapareceu misteriosamente, havendo a certeza generalizada — mas nunca dita — que o patriarca o convencera a abandonar a mulher e se exilar no exterior por uma boa quantia. Bebel, inconsolável, perdeu o interesse pelas atividades do grupo e passou a votar passivamente com a maioria. Não era mais um problema. Até que...

*　*　*

Até que na última reunião Bebel anunciou que trazia uma mensagem da sua seita, a Igreja Circular da Renúncia e Regeneração em Cristo, que começara a frequentar e à qual já tinha doado tudo que possuía, inclusive sua casa — e suas ações. O patriarca, depois de se engasgar e tomar um copo d'água, finalmente conseguiu falar e disse:

— O quê?!

Sim, a Igreja Circular da Renúncia e Regeneração em Cristo agora era dona de uma parte do conglomerado. E mais, Bebel prometera ao pastor que convenceria todos os membros da diretoria a também doarem suas ações à Igreja. Era esta sua mensagem. Todos deveriam abraçar a renúncia, desprenderem-se de suas posses materiais e buscarem a regeneração em Cristo, como ela fizera. A Igreja os purificaria, ficando com tudo que era deles, começando pelas ações com direito a voto. E Bebel pediu para que todos se dessem as mãos em volta da mesa de reuniões e repetissem com ela: "Glória a Jesus! Glória a Jesus!"

O patriarca precisou ser socorrido.

Geoffrey

Bárbara levava para a praia: um guarda-sol, uma cadeira portátil (na verdade meia cadeira, apenas um encosto para poder sentar confortavelmente na areia), óculos escuros, chapéu e uma bolsa de pano com protetor solar, batom umidificante, telefone celular, lenços de papel e um livro policial. Sempre um policial. Gostava de ficar lendo embaixo do guarda-sol.

Fora devolver às crianças uma eventual bola que invadisse seu território, Bárbara não tinha nenhum contato com os outros frequentadores da praia. Preferia assim. Não queria falar com ninguém. Queria ficar sozinha. Com seus livros policiais.

Naquele dia, estava mais ou menos na metade do livro quando notou que um homem sentara na areia perto dela. Perto demais. Bárbara não gostou da sua proximidade. Viu que era um homem mais moço do que ela, bonito, e que — ao contrário dela — viera para a praia apenas com uma sunga e nada mais. Nem chapéu, nem óculos, nem protetor, nem celular. Nada. E ele a examinava com divertida curiosidade. Como um nativo nu examinando as vestes pesadas e os paramentos de um explorador recém-chegado ao Novo Mundo.

— Geoffrey — disse o homem.

— O quê? — perguntou Bárbara.

— O assassino. No livro que você está lendo. O assassino é o Geoffrey.

— Mas, mas...

Bárbara não se continha de indignação.

— Você estragou a minha leitura! Você é um, um...

Bárbara não encontrava a palavra certa. Onde já se vira aquilo? Alguém entrar na vida de outra pessoa assim e, deliberadamente, estragar a sua leitura.

O homem estava sorrindo. Disse:

— Desculpe. Eu só quis poupar você de ter que ler o resto do livro. Assim você já sabe como termina e pode parar de ler para conversar comigo. Podemos começar um relacionamento. E quem sabe dizer como termina um relacionamento? Sua vida pode ser muito mais excitante do que um livro policial. Jogue fora o livro e fale comigo. Pare de ler e descubra a vida.

Mas Bárbara estava inconsolável.

— Só porque você já leu o livro não tem o direito de...

— Eu nunca li esse livro.

— Mas então, como...

O homem estendeu a mão para Bárbara apertar e disse:

— Eu sou o Geoffrey.

* * *

Uma bola rolou para baixo do guarda-sol e bateu na perna de Bárbara, que acordou. Por uns instantes ficou atordoada. Onde estava?

Na praia, claro. O livro caíra das suas mãos e pousava, aberto, sobre seu peito. Ela chutou a bola de volta para as crianças e pegou o livro. Que sonho estranho, pensou. E ficou indecisa. Deveria olhar o fim do livro, para saber se Geoffrey era mesmo o assassino, ou continuar a leitura sem espiar o final, agora com o suspense redobrado? A história do livro se passava em Londres. Geoffrey era um personagem fascinante, um cavalheiro. Bárbara jamais imaginaria que o assassino fosse ele. Mas também nunca o imaginaria de sunga numa praia. Decidiu continuar a leitura sem olhar a última página. A leitura teria outro sabor, agora que conhecia o Geoffrey, por assim dizer, pessoalmente. A vida podia esperar.

Sonhos

Sonhar é como ir ao cinema. Seus olhos se fechando são como as luzes do cinema se apagando, e seu sonho é como um filme projetado na tela. Só que... Só que, mesmo que você não saiba exatamente o que vai ver no cinema, tem uma ideia. Leu uma sinopse do filme no jornal, viu o cartaz. Sabe se vai ver um drama ou uma comédia. Sabe quem são os atores. Sabe que, se for filme de horror, vai se assustar. Se for um filme com o Sylvester Stallone, vai ter soco etc. Quer dizer: você entra no cinema preparado. Mas você nunca dorme sabendo o que vai sonhar.

Ninguém está preparado para o que vai ver no sonho. Será um pesadelo? Será um sonho romântico? Lúbrico? Engraçado? Um sonho estranho, com tartarugas cantantes acompanhando em coro um dueto lírico do Stallone com aquela sua antiga professora de matemática? Você não sabe. O sonho é sempre uma surpresa.

E outra coisa: se não estiver gostando do filme, você pode sair na metade. Com o sonho, isso é difícil. O ideal seria se você pudesse escolher seu sonho. Ou pelo menos descobrir como ele seria, para você saber o que esperar. Uma espécie de sinopse. Por exemplo...

Drama de costumes. Você é um cossaco na Rússia imperial e recebe ordens para arrasar um vilarejo onde todos os homens se chamam Rimski e fazem sexo com cabras, o que não seria tão ruim se as cabras não usassem máscaras do tzar. No meio do entrevero surge, misteriosamente, a sua mãe e manda você voltar para casa e não esquecer de lavar as mãos, e o seu cavalo vai rindo o tempo todo.

Drama psicológico. Você está num apartamento que não conhece. Sente que precisa sair dali mas não encontra a saída. Perambula pelas peças vazias até chegar numa em que há um homem estirado num divã. É o dr. Freud dormindo uma sesta. Você o sacode, para perguntar onde fica a saída. Ele acorda, sobressaltado, e diz "ach, bem na hora do chantilly no umbigo!" e passa a persegui-lo por dentro do apartamento, obrigando você a pular por uma janela e cair na cadeira do senador Eduardo Suplicy, que felizmente está viajando. Você tenta fugir de Brasília mas também não encontra a saída.

Comédia romântica. Tudo se passa num resort do Caribe. Você confundiu as Patrícias, combinando um fim de semana com a Pilar mas indo com a Poeta. Descobre que a Pilar chegou no hotel atrás de você. Há cenas hilariantes, como a de você se disfarçando de palmeira para não ser reconhecido e fingindo ser um garçom no luau até tropeçar na Luana Piovani e cair dentro da fogueira. A Luana leva você para fazer curativos na sua cabana enquanto a Pilar e a Poeta, que se juntaram, procuram por você. No fim as três se unem para jogá-lo no mar, onde você é recolhido por um iate e adotado pela Angelina Jolie.

Horror. Você está num bastidor e alguém acaba de lhe dar uma batuta para reger a grande orquestra sinfônica que o espera no palco.

— Vá — diz alguém no seu ouvido.

Há ruídos de impaciência vindos da plateia. A orquestra também está inquieta. Onde está o maestro? Mas você não é maestro. Você não entende nada de música. Você não sabe o que está fazendo ali. E você está nu.

— Vá — dizem outra vez.

— Eu estou sem roupa — protesta você.

— Vai assim mesmo, agora não há mais tempo.

Você tenta desesperadamente retardar sua entrada no palco:

— O programa. Eu não sei qual é o programa!

— Toca qualquer coisa — é o conselho que lhe dão. — O importante é entrar no palco.

— Mas eu estou nu!

— Não interessa, entra!

E você é empurrado para o palco. Ouve o som do espanto coletivo da plateia. A orquestra também está de boca aberta. O primeiro violino recua, para evitar qualquer contato com você. Você sobe no estrado, olha para o lado e o seu horror aumenta. Esperando nos bastidores estão um coro de tartarugas, o Sylvester Stallone e aquela sua antiga professora de matemática esperando a sua vez de entrar.

Picasso e Goya sob o sol

Uma tarde, depois de um bom almoço, estirado numa cadeira preguiçosa no terraço da sua casa na Côte d'Azur, Picasso adormece e sonha que está no Museu do Prado, em Madri, na frente do quadro *As meninas*, do Velázquez, e que ao seu lado está alguém que a princípio ele não reconhece. Ele e o outro são as únicas pessoas no grande salão do museu onde a pintura de Velázquez é o único quadro. A pintura de Velázquez é o único quadro no museu inteiro.

Picasso julga reconhecer o homem ao seu lado, mas não tem certeza de que seja quem está pensando.

— De onde eu conheço o senhor?

— Talvez dos meus autorretratos...

— Francisco Goya!

— Em pessoa. Ou o que resta dela. E o senhor é...

— Pablo Picasso.

— Foi o que eu desconfiei. Mas nos seus autorretratos o senhor nem sempre é reconhecível...

— É que eu nunca aceitei que os dois olhos não pudessem ser do mesmo lado do nariz.

— Mas eu deveria tê-lo reconhecido pelas fotografias. O senhor é uma das pessoas mais fotografadas do mundo. Eu o invejo.

— Por ser tão fotografado?

— Não. Por poder pintar os dois olhos no mesmo lado do nariz. E a boca onde quiser. E os pés no lugar das orelhas. Eu não tive essa liberdade. Fui um revolucionário na minha arte, mas não o bastante. Éramos reféns da anatomia. O senhor se libertou disso.

— Me diga, o que o senhor acha desta ideia de esvaziar o Prado e deixar só *As meninas*, do Velázquez, em exposição?

— Acho justo. É uma maneira de dizer que, depois de Velázquez, toda a pintura é supérflua.

— Mas as suas pinturas negras também foram banidas do museu, com todas as outras...

— Está certo. Eu não as pintei para serem expostas. Foram pintadas nas paredes da minha casa, para só serem vistas por mim. São expressões da minha misantropia, do meu asco pela vida, da minha loucura final. Quem quer ver a sua degradação exposta em público?

— Elas são as pinturas mais poderosas e inquietantes jamais feitas. E olha que eu não sou de elogiar a concorrência.

— O seu *Guernica* não fica atrás...

— Obrigado, mas eu acho *Guernica* uma ode à inutilidade da arte. Foi elogiado como um libelo contra a estupidez humana, mas não impediu que outras "Guernicas" acontecessem, e a estupidez humana prevalecesse. Guernica foi apenas um aperitivo para Hiroshima.

— Somos supérfluos de várias maneiras, além da que decretou o Prado. Todo artista é supérfluo.

— Menos o Velázquez.

— Menos o Velázquez.

— Sabe, senhor Goya, muita gente já nos comparou e notou como nossas trajetórias são opostas. O senhor começou como pintor da corte, retratando a vida alegre da aristocracia na Madri dos Bourbons, e acabou doente, num exílio amargo entre pinturas negras, sozinho e esquecido. Sua trajetória foi da frivolidade para as trevas. Eu, ao contrário, fui ficando cada vez mais mundano, cada vez mais frívolo. Comecei como um artista de vanguarda incompreendido e acabei como uma celebridade internacional, uma das pessoas mais fotografadas do mundo, fazendo arte instantânea como criança. Apesar de velho, ainda tenho saúde e tesão pela vida. Agora mesmo, acabo de comer um peixe maravilhoso feito pela minha atual mulher... A sétima, se não perdi a conta.

— Por sinal, senhor Picasso, obrigado por sonhar comigo na sua sesta. A única maneira que eu tenho de voltar à vida, nem que seja só para rever *As meninas*, é na imaginação dos outros. E, não sei se o senhor notou, no seu sonho eu não sou surdo, como fui durante grande parte da minha vida. Muito obrigado.

— Olhe, senhor Goya! Que estranha luminosidade emana do quadro do Velázquez! O senhor não está vendo?

— Não, eu...

— Parece o sol. É a luz de um sol!

Picasso acorda com o sol na sua cara. Pensa em chamar a mulher para lhe trazer um chapéu, mas não se lembra do seu nome.

Tem cada um...

Tem, por exemplo, o Victor, que não perde oportunidade de ostentar sua cultura, para divertimento e, às vezes, irritação da turma. Como na vez em que houve um silêncio na mesa do bar em que eles se reuniam e o Victor disse:

— Eu conheço este silêncio de um filme do Bergman.

O Marcão não aguentou.

— Como, de um filme do Bergman? Como um silêncio pode ser igual a outro silêncio, que não tem nada a ver?

O Victor apenas sorriu. Não poderia esperar que o Marcão, logo o Marcão, entendesse. O que mais irritava o Marcão era aquele sorriso do Victor.

* * *

Mas a melhor do Victor quem contou foi o Mendonça, médico, que também frequentava a turma. O Victor andava tossindo muito, e expectorando, e procurara o Mendonça no seu consultório.

— Acho que peguei a gripe.
— Você tem muito catarro? — perguntara o médico.
— Tenho.
— De que cor é o catarro?
E então o Victor pensara um pouco e respondera:
— Sabe o verde daquele afresco do Tiepolo no Palazzo Clerici, em Milão?
O Victor estava presente na mesa quando o dr. Mendonça contou o fato e apenas sorriu diante da gargalhada geral da turma. Depois deu de ombros e disse:
— O que eu vou fazer se vocês não viajam?
O Marcão ficou pra morrer.

* * *

E tem o Pinheiro, também chamado Pinho, cujo sono é lendário. Contam que o Pinho não pode ir ao cinema porque dorme no começo do filme, sempre. Filme de caubói, filme de guerra, inclusive intergalática... Não via nem os créditos completos.
— Você chegou a ver o nome do diretor, Pinho?
— Não, fui só até o produtor.
Mas não deve ser verdade o que contam sobre a separação do Pinho.

* * *

Contam que o casamento do Pinho e da Eneida não estava dando certo — em grande parte porque o Pinho invariavelmente dormia quando a Eneida começava a lhe dizer alguma coisa, às vezes no meio de uma frase. E que um dia a Eneida levantara da cama do casal, saíra à rua, contratara uma empresa de mudança e voltara com três carregadores, que passaram a tirar tudo de dentro do apartamento. Tudo. Geladeira, fogão, móveis da sala, televisão, mesa de jantar...

— Este armário também vai, dona?

— Tudo.

Deixaram o quarto de dormir, onde o Pinho ainda roncava em cima da cama, para o fim. E o quarto também foi esvaziado.

— E a cama, dona?

Eneida hesitou. Levava ou deixava a cama? Decidiu:

— A cama vai.

— E o doutor?

— Fica. Deixem o colchão pra ele.

* * *

Aqui as versões divergem. Há quem diga que a Eneida voltou atrás e mandou carregarem o colchão também, deixando o Pinho dormindo no chão. Outros dizem que o colchão, misericordiosamente, ficou. Mas todos concordam que, como não havia mais nada no apartamento onde colocar o bilhete de despedida que escrevera para o marido, a Eneida o colocara entre dois dedos do seu pé. Para o Pinho ler quando acordasse.

A sopa

— Orlando, me explica uma coisa.
	Orlando parou de tomar a sopa, com a colher a meio caminho da boca. Era raro a Dalinda dizer qualquer coisa na mesa do jantar. Nos últimos anos a conversa dos dois durante as refeições tinha se limitado ao básico. "Passa o sal" e pouco mais. E de repente a Dalinda estava pedindo uma explicação.
	— O quê?
	— Por que você toma sopa desse jeito?
	— Que jeito?
	— Assim.
	Ela mostrou com um gesto como ele fazia. Pegava a sopa pelo lado mais distante da colher. Contra a borda mais distante do prato.
	— Eu sempre tomei sopa assim.
	— Por quê?
	Orlando hesitou. O que era aquilo? Só curiosidade da mulher? Ou o prenúncio de alguma outra coisa? Uma trovoada longínqua, sinal de tormenta se aproximando? Foi precavido. Perguntou:

— Por que você quer saber?

— Pra saber.

— E só agora? Trinta anos de casados, e só agora você notou como eu tomo sopa?

— Trinta e dois.

— O quê?

— Anos de casados.

— Que história é essa, Dalinda?

— História nenhuma. Eu só quero saber por que...

— Não. Não é só isso. Você está querendo me dizer alguma coisa. Você está preparando o terreno pra não sei o quê. Quer me contar alguma coisa, é isso? Não sabe como começar e vem com essa história de sopa. É sobre o Heitor, é?

— Que Heitor?!

— O Heitor da farmácia. Pensa que eu não sei que aquela injeção não precisava ser na nádega? Que ele é que inventou que precisava ser na nádega? Depois eu me informei. Não precisava.

— Orlando! Que absurdo! Eu nunca mais vi o seu Heitor, depois da injeção.

— Sei não, sei não...

— Nem me lembro da cara dele.

— Sei não, sei não...

— Está bom, esquece a sopa. Eu só estava querendo puxar conversa. A gente não conversa mais.

— Dalinda...

— Termina logo essa sopa, Orlando.

Mais tarde, na cama.

— Dalindinha...

— O que é?

— Foi a minha mãe que me ensinou a tomar sopa desse jeito. Assim o lado da colher que a gente põe na boca fica frio, porque a sopa quente entrou pelo outro lado.

— Sei.

— Sobre o que mais você quer conversar?

— Eu quero dormir.

— Você ficou brava comigo?

— Não, Orlando. Vamos dormir.

— Dá um beijinho?

— Amanhã, Orlando.

Mas Dalinda não dormiu. Pela primeira vez desde a injeção, pensou no seu Heitor da farmácia. Nos seus cabelos grisalhos, no calor da sua mão moldando a carne da nádega para receber a agulha, na sua voz de locutor dizendo "não vai doer". Se não fosse o Orlando lembrá-la ela teria esquecido do seu Heitor. E agora não conseguia dormir pensando nos seus cabelos grisalhos, na sua voz de locutor e na sua mão quente demorando para moldar a carne da nádega.

Estátuas

Há uma estátua do Carlos Drummond de Andrade sentado num banco da praia de Copacabana, uma estátua do Fernando Pessoa sentado em frente ao café "A Brasileira" em Lisboa, uma estátua do Mario Quintana sentado num banco da Praça da Alfandega de Porto Alegre. Salvo um cataclismo inimaginável, as três estátuas jamais se encontrarão. Mas, e se se encontrassem?

— Uma estátua é um equívoco em bronze — diria o Mario Quintana, para começar a conversa.

— Do que nos adianta sermos eternos, mas imóveis? — diria Drummond.

Pessoa faria "sim" com a cabeça, se pudesse mexê-la. E acrescentaria:

— Pior é ser este corpo duro sentado num lugar duro. Eu trocaria a eternidade por uma almofada.

— Pior são as câimbras — diria Drummond.

— Pior são os passarinhos — diria Quintana.

* * *

— Fizeram estátuas justamente do que menos interessa em nós: nossos corpos mortais.
— Justamente do nosso exterior. Do que escondia a poesia.
— Do que muitas vezes atrapalhava a poesia.
— Espera lá, espera lá — diz Drummond. — Minha poesia também vinha do corpo. Minha cara de padre era um disfarce para a sensualidade. Minha poesia dependia do corpo e dos seus sentidos. E o sentido que mais me faz falta, aqui em bronze, é o do tato. Eu daria a eternidade para ter de volta a sensação na ponta dos meus dedos.
Pessoa:
— O corpo nunca ajudou minha poesia. Eu e meus heterônimos habitávamos o mesmo corpo, com a sua cara de professor de geografia, mas não nos envolvíamos com ele. Nossa poesia era à revelia dele. E fizeram a estátua do professor de geografia.
Quintana:
— Pra mim, o corpo não era nem inspiração nem receptáculo. Acho que já era a minha estátua, esperando para se livrar de mim.

* * *

— Pessoa — diria Drummond —, estamos há meia hora com você nesta mesa do Chiado, e você não nos ofereceu nem um cafezinho.
— Não posso — responderia Pessoa. — Não consigo chamar o garçom. Não consigo me mexer. Muito menos estalar os dedos.
— Nós também não...
— Não posso reagir quando sentam à minha volta para serem fotografados, ou retribuir quando me abraçam, ou espantar as crianças

que me chutam, ou protestar quando um turista diz "Olha o Eça de Queiroz"...

— Em Copacabana é pior — diria Drummond. — Fico de costas para a praia, só ouvindo o ruído do mar e o tintilar das mulheres, sem poder me virar...

— Pior, pior mesmo — diria Quintana — é estar cheio de poemas ainda não escritos e não poder escrevê-los, nem em cima da perna.

Os três concordam: o pior é serem poetas eternos, monumentos de bronze à prova das agressões do tempo, fora poluição e vandalismo — e não poderem escrever nem sobre isto. As estátuas de poetas são a sucata da poesia.

E ficariam os três, desolados e em silêncio, até um turista apontá-los para a mulher e dizer:

— O do meio eu não sei mas os outros dois são o Carlos Gardel e o José Saramago.

O tapa-olho

A Suzi já tinha aparecido no grupo com um físico-nuclear, que impressionara a todos não com seu conhecimento mas com sua fome. Já tinha aparecido com um toureiro cearense, uma condição nunca bem explicada. E um dia apareceu com um homem de tapa-olho. Moreno, estatura mediana, seus trinta e alguns anos, e um olho tapado por um retângulo preto. Apresentou:

— Turma, este é o Cliomar. Cliomar, a turma.

Oba. Oi. E aí? Muito prazer. Etc. E o Cliomar sentou-se em meio a uma saraivada de perguntas, todas, claro, provocadas por aquela curiosidade, que a maioria só conhecia de filme de pirata: um tapa-olho. O que você faz? É daqui mesmo? Qual é o teu time? Perguntas e mais perguntas. Menos a que todo o mundo gostaria de fazer mas não sabia se devia:

— E esse tapa-olho?

Depois a Suzi contou que ele não gostava de falar no tapa-olho. Só uma vez se referira a "esta minha tragédia", apontando para o olho tapado, mas não entrara em detalhes. Outra vez dissera "tive uma vida movimentada, como você pode imaginar", e também apontara para o olho tapado, mas deixando os detalhes da sua vida movimentada para a imaginação da Suzi. Que estava apaixonada. Nunca conhecera um homem assim. Nem o ventríloquo alemão. Nem o ex-padre que não escolhia hora ou lugar para fingir que mordia seu pescoço, fazendo "nham!". Alguém perguntou:

— E você não aproveitou quando ele estava dormindo para olhar embaixo do tapa-olho?

— Tá doido! — protestou a Suzi. E completou: — E quem diz que nós estamos dormindo juntos?

Se a Suzi não estava dormindo com o cara, queria dizer que o caso era sério. E a turma entendeu o entusiasmo da Suzi pelo Cliomar. Ele era mesmo atraente, com aquele seu ar misterioso, com aqueles seus silêncios cheios de implicações, com aquele seu tapa-olho. Toda a turma estava fascinada por ele. O Márcio, que trabalhava numa editora, chegou a sugerir que Cliomar escrevesse alguma coisa sobre suas experiências, sobre os lugares em que andara e as aventuras que vivera, só não dizendo "sobre esse tapa-olho" em respeito à sua discrição em tratar do assunto. Que só aumentava o seu mistério. Cliomar apenas sorriu com a sugestão do Márcio, e disse:

— Não sei se o mundo está preparado para as minhas confissões...

Que histórias ele não teria para contar!

No outro dia a Suzi apareceu sem o Cliomar. Desanimada, fazendo beicinho, desiludida da vida. Contou:

— Aconteceu.

— O que, Suzi?

— Dormimos juntos.

— E aí? Como é que foi?

— Foi bom. Só que...

— O quê?

— Ele tirou o tapa-olho para dormir, depois de me fazer jurar que não espiaria o que tinha embaixo.

— E aí?

— Hoje de manhã acordou, se distraiu e botou o tapa-olho no outro olho.

Pacóvio

— Cretino!
    Foi o fim de uma conversa áspera da moça pelo seu telefone celular. Depois daquele "cretino!", dito com aquela força, era de se esperar que a moça jogasse o celular longe, como se estivesse jogando fora o próprio cretino. Mas não. Ela apenas desligou o celular e colocou ao lado da sua xícara de café (ou seria chá?), na mesa. O homem da mesa ao lado certificou-se de que ela estava calma e não despejaria todo o seu ódio, que pela conversa no celular parecia incluir toda a humanidade, sobre sua cabeça, e comentou:
    — Palavra curiosa, né?
    — O quê?
    — Cretino.
    — Por quê?
    — Eu sempre pensei que tivesse alguma coisa a ver com Creta.
    — Concreta?
    — Não. Creta. A ilha de Creta. Cretino seria alguém de Creta. Que por alguma razão teria a fama de produzir idiotas.

— E não é?

— Não. Fui ver no dicionário. Cretino é quem sofre de cretinismo, uma condição decorrente de problemas na tiroide.

— Não é o caso do meu cretino.

— Eu desconfiei que não era. No dicionário diz que "cretino" também é sinônimo de lorpa, pacóvio...

O telefone tocou. Vivaldi. Ela atendeu rispidamente.

— Quié?

Ouviu por alguns minutos, de cara feia. E ela era linda. Depois disse:

— Sabe o que você é? Um lorpa. Qual é o outro?

— Pacóvio — disse o homem.

— Um pacóvio. Nunca vi um pacóvio igual. O quê? Não, não estou com ninguém. Estou tomando um cappuccino sozinha, pensando em como pude perder meu tempo com um pacóvio como você. Por favor, não me ligue mais.

Ela desligou o telefone. Sorrindo. Ele perguntou:

— Marido?

— Deus me livre.

— Namorado?

— Não é mais.

— Posso lhe pagar outro cappuccino?

* * *

Mais tarde, já na cama, ela distraída, ele perguntou se ela estava pensando no namorado.

— Não, não. Acabou.

— O que foi que ele fez, afinal?

— Nada. Pacovice geral. Na verdade não nos entendemos desde o início. Ele é bonito. Mas sabe aquele tipo que tem os bíceps na cabeça? É ele. Não podia dar certo.

— Ainda mais com o Vivaldi.

— Como, Vivaldi?

— É o que toca no seu celular. Vivaldi. Uma das quatro estações. Tenho uma tese de que se pode saber tudo sobre uma pessoa pelo que ela escolhe para tocar no seu celular. Uma vez rompi o namoro com uma mulher quando descobri que o celular dela tocava Wagner. Achei que seria perigoso. Já uma mulher que escolhe Vivaldi...

— Não é para qualquer cretino.

— Definitivamente não.

Finais

Ideia para três contos.
    Um posto de gasolina. Noite. Dois carros entram no posto quase ao mesmo tempo. Um dirigido por um homem, o outro por uma mulher. Para simplificar: João e Maria. Os dois com idades parecidas, jovens. Enquanto os frentistas abastecem os dois carros, entra no posto um terceiro carro. Pela janela do terceiro carro, uma mulher grita, desesperada:
    — Me ajudem! Me ajudem!
    Os frentistas ficam paralisados. João e Maria não sabem o que fazer. Se a mulher está sendo assaltada, não querem chegar perto. Mas a mulher grita:
    — Eu estou tendo um filho!
    Os quatro correm para acudi-la.
    A mulher está sozinha no carro. João se oferece para levá-la a um hospital.
    Ela grita:

— Não dá tempo! Não dá tempo!

— Tem que ser aqui mesmo — diz Maria. — No banco de trás.

Transferem a mulher para o banco de trás. Um dos frentistas vai chamar uma ambulância. O outro vai buscar uma toalha, um pano limpo, lenço de papel, qualquer coisa.

João para Maria:

— Você sabe o que fazer?

— Não tenho a menor ideia. Você?

— Acho que é só esperar e, sei lá. Aparar a criança.

Mulher:

— Ai. Já vem. Ai, meu santíssimo. Já vem!

João:

— Calma.

Maria, para a mulher:

— Segura a minha mão. E faz força.

João:

— Calma.

Mulher:

— Está saindo! Está saindo!

Quando a ambulância chega o bebê já nasceu. Mãe e filho são levados para um hospital. João abraça Maria, que está tendo uma crise de choro. Maria, quando consegue se controlar, diz:

— Não sei como você pôde ficar tão calmo.

— Não era calma. Era pavor.

— Você viu que o bebê tinha uma marquinha no braço? Um coraçãozinho.

— Não vi. Só vi que era homem.

— Que ideia da mulher, dirigindo grávida. Devia estar indo pro hospital. Sozinha. Por que ela estava sozinha?

— Isso nós nunca saberemos.

— Mas nós nunca vamos esquecer esta noite, vamos?
— Nunca.

E os dois se dão "tchau", entram nos seus carros, pagam pela gasolina e saem, cada um para um lado.

FINAL 1

Dez anos depois, João e Maria se reencontram num navio de cruzeiro, rumando para a Patagônia. Ela está com o marido. Não o reconhece. Ele diz:
— Fizemos um parto juntos, lembra?
Ela:
— Você!
Ele:
— Nunca esqueci do seu rosto segurando a mão daquela mulher. Acho que foi a coisa mais bonita que eu vi na minha vida.

Ela diz que nunca esqueceu aquela mulher sozinha, tão terrivelmente sozinha.

Ele diz:
— Eu nunca esqueci você.

E conta que está no cruzeiro para se recuperar do terceiro divórcio.

FINAL 2

Um dia depois, João e Maria se reencontram na recepção do hospital onde os dois foram visitar a mãe e o recém-nascido. Têm dificuldade em descobri-los, pois não sabem o nome da mulher. Finalmente descobrem. Mãe e filho passam bem. A mulher se chama Irma e o menino Rudimar ("Nome do avô", diz a mulher). João e Maria aceitam ser os padrinhos de Rudimar. No batismo, os dois já estão de mãos dadas. Irma e Maria acabam abrindo uma butique juntas, mas Irma nunca conta a Maria por que estava sozinha naquela noite.

FINAL 3

Quinze anos depois, João e Maria se cruzam na rua. Os dois se reconhecem, se abraçam e ele a convida para tomarem um chope num bar. O bar é assaltado por um garoto armado. João se levanta para reagir. Segundos antes de o garoto disparar contra os dois, Maria vê que ele tem um sinal no braço. Um coraçãozinho.

Albert e Mileva

Albert Einstein e sua mulher Mileva viveram separados durante cinco anos antes de se divorciarem em 1919. Foi Einstein que telefonou para Mileva para dizer que queria o divórcio.

— Albert. Que bom ouvir sua voz!

— Como vai você, Mile?

— Bem, bem. E você vai muito bem, não é, Albert? Está famoso, é chamado de gênio...

— O pessoal exagera um pouco.

— E a nossa separação, Albert? Quanto tempo ainda vai durar?

— Era sobre isso que eu queria falar com você, Mile. Acho que nós devíamos nos divorciar.

— Divórcio, Albert? Depois de tudo que nós passamos juntos?

— Mileva...

— Lembra quando nos conhecemos na Polytechnische de Zurique? Nós dois estudando matemática e física?

— Lembro, Mile. Você era até melhor aluna do que eu.
— Lembra do nosso casamento em 1903?
— Claro.
— Lembra de 1905?
— Como esquecer? O ano miraculoso em que foram publicadas as quatro teses que revolucionaram a física e fizeram minha reputação. E você estava ao meu lado.
— E tudo isso não significa nada para você?
— Significa, Mile. Mas acabou. Acho que o divórcio vai ser melhor para nós dois.
— Para você, certamente.
— Mileva, não seja assim...
— Agora você vai poder se casar com a Elsa. Não é isso que você quer? Ou você pensa que eu não sabia do caso de vocês, mesmo quando ainda estávamos juntos? Elsa, Albert. A sua própria prima!
— Eu esperava que você fosse mais compreensiva, Mile.
— Eu sou compreensiva, Albert. Não sei se a Elsa vai ser tão compreensiva quanto eu fui.
— Ela me ama e me apoia.
— Mas será que ela faria o sacrifício que eu fiz, para que o nosso casamento desse certo?
— Que sacrifício?
— Você esqueceu como eu fui compreensiva quando aceitei que você assinasse os quatro artigos revolucionários que eu escrevi sozinha, e levasse toda a glória? Eu não esqueci.
— Depois daqueles artigos, publiquei muitos outros igualmente importantes, Mile.
— Como aqueles, não, Albert. Aqueles fizeram história. Aqueles mudaram o modo de pensar sobre o Universo. A ciência nunca mais foi a mesma depois dos quatro artigos publicados em 1905. Dos meus quatro artigos.

— Eu nunca neguei a sua capacidade.

— Mas o mundo nunca ficou sabendo, não é, Albert? Talvez agora seja a hora de saber...

— Você está me chantageando, Mileva?

— Não. Só estou pensando em reparar uma injustiça.

— Você lembra por que eu quis assinar os artigos, em vez de você?

— Lembro. Você disse que ninguém acreditaria que eles tinham sido escritos por uma mulher. E eu, compreensiva, para não ameaçar nosso casamento, concordei.

— E você acha que hoje, em 1919, seria diferente de 1905, Mileva? Ninguém vai acreditar que você é a autora dos artigos. Vão dizer que é uma invenção vingativa de uma mulher despeitada. Para aceitarem que uma mulher possa ser um gênio da física como um homem é preciso que passe muito tempo ainda. Você esqueceu a importância do tempo na sua própria teoria, Mile?

— Eu sei, tudo é relativo, e o tempo mais do que tudo. Mas se houvesse um confronto entre nós dois para saber quem está falando a verdade, eu provaria a minha autoria. Você nunca entendeu muito bem as minhas teorias, não é, Albert?

— Mile, você faria isso? Só para evitar que eu casasse com a Elsa?

— Não, Albert. Fique com a sua reputação, com o seu gênio e com a sua Elsa. Eu não faria isto. Eu continuo uma mulher compreensiva. Injustiçada, despeitada, mas compreensiva.

— Você me perdoa, Mile?

— Talvez com o tempo, Albert.

Os textos reunidos neste volume foram originalmente publicados nos jornais *Estado de S. Paulo* e *Zero Hora* nas seguintes datas:

A diferença (21/6/09)
O conselheiro (2/8/09)
O enganado (11/1/09)
Paula (21/2/10)
Revelações (25/9/11)
Padre Alfredo (31/1/10)
Os pêssegos (23/1/11)
Robespierre e seu executor (27/6/10)
O maior mico do mundo (1/7/07)
Os bolsos do morto (13/11/11)
Dia das Mães (8/5/11)
Natal branco (25/12/11)
Abraão e Isaque (4/10/09)
Reféns da palavra (26/7/09)
Duas cidades (6/9/09)
A tia que caiu no Sena (4/1/09)

A Juliette (9/9/09)
Exilados (28/2/10)
RSVP (15/2/09)
Entrevista (5/7/09)
Albert Speer fala com as flores (20/6/10)
A tradutora belga (26/6/11)
RSVP 2 (22/2/09)
Poetas (14/3/10)
A lógica (15/3/09)
O triunfo (3/10/10)
Don Juan e a Morte (27/3/11)
Antigas namoradas (13/3/11)
Perdedor, vencedor (21/2/10)
Tea (14/11/1999)
O natural (14/2/10)
A tática da bolsa (10/4/11)
A ponta do queixo (5/4/09)
Teatrinho (11/4/10)
Bebel (20/3/11)
Geoffrey (16/1/11)
Sonhos (26/4/09)
Picasso e Goya sob o sol (4/7/10)
Tem cada um... (31/7/11)
A sopa (7/3/10)
Estátuas (20/11/11)
O tapa-olho (22/11/09)
Pacóvio (22/5/11)
Finais (7/2/10)
Albert e Mileva (11/7/10)

1ª EDIÇÃO [2012] 10 reimpressões

ESTA OBRA FOI COMPOSTA PELA ABREU'S SYSTEM EM ADOBE GARAMOND
E IMPRESSA EM OFSETE PELA LIS GRÁFICA SOBRE PAPEL PÓLEN SOFT DA SUZANO S.A.
PARA A EDITORA SCHWARCZ EM DEZEMBRO DE 2020

A marca FSC® é a garantia de que a madeira utilizada na fabricação do papel deste livro provém de florestas que foram gerenciadas de maneira ambientalmente correta, socialmente justa e economicamente viável, além de outras fontes de origem controlada.